insel taschenbuch 681

Platon

Das Trinkgelage

›Symposion‹, bisher immer als ›Gastmahl‹ verdeutscht, heißt eigentlich ›Trinkgelage‹. Das von Platon in einem seiner Meisterdialoge inszenierte Trinkgelage handelt vom Eros. Es ist die ideale Gelegenheit für inspirierte Reden über die Liebe: über die sinnliche ebenso wie über die geistige, ›platonische‹, die sich bis zur Idee des Schönen sublimiert. Für dieses Gespräch über den Eros versammelte Platon die berühmtesten Männer Athens gegen Ende des fünften Jahrhunderts v. Chr.: unter anderen den witzigen und phantasiereichen Komödiendichter Aristophanes, Platons Lehrer Sokrates, der durch Ironie und Dialektik die Jugend seiner Zeit wie kein anderer faszinierte, und Alkibiades – nach dem feierlichen Gipfel der sokratischen Rede bestreitet er das Satyrspiel des Schlusses. Das ›Symposion‹ spielt in einem der letzten Augenblicke gelöster Heiterkeit, bevor die glanzvollste, die ›klassische‹ Periode der griechischen Kultur zu Ende ging. Dieser zentrale Text der platonischen Philosophie hat eine Wirkungsgeschichte, die von der italienischen Renaissance über den deutschen Idealismus bis ins 20. Jahrhundert reicht.

PLATON
DAS TRINKGELAGE

ODER
ÜBER DEN EROS

Übertragung, Nachwort und
Erläuterungen
von Ute Schmidt-Berger
Mit einer Wirkungsgeschichte von
Jochen Schmidt
und griechischen Vasenbildern

Insel Verlag

Umschlagbild: *Zechender mit Trinkschale*
Attische rotfigurige Trinkschale um 480 v. Chr.,
Kassel, Antikenabteilung
der Staatlichen Kunstsammlungen.

Für wertvolle Hilfe danke ich Bettina von Freytag Löringhoff und Ingeborg Peschel, Archäologisches Institut der Universität Tübingen, Konrad Gaiser, Philologisches Seminar der Universität Tübingen, und meinem Mann.

insel taschenbuch 681
Erste Auflage 1985

Vertrieb durch den Suhrkamp Taschenbuch Verlag
Umschlag nach Entwürfen von Willy Fleckhaus
Satz: LibroSatz, Kriftel
Druck: Nomos Verlagsgesellschaft, Baden-Baden
Printed in Germany

6 7 8 9 10 11 – 02 01 00 99 98 97

INHALT

Das Trinkgelage oder Über den Eros

Anhang

DAS TRINKGELAGE
ODER
ÜBER DEN EROS

Personen des Vorgesprächs

APOLLODOROS und EINER SEINER FREUNDE

Personen des Hauptgesprächs

ARISTODEMOS, SOKRATES, AGATHON, PHAIDROS, PAUSANIAS, ERYXIMACHOS, ARISTOPHANES, ALKIBIADES, EINIGE UNGENANNTE

I. APOLLODOROS Für eure Wißbegier, denke ich, bin 172 a
ich ganz gut gewappnet. Denn kürzlich ging ich ge-
rade hinauf in die Stadt von daheim, vom Phaleron
her; da sah mich einer meiner Bekannten von hinten
und rief mir weither mit scherzhafter Anrede zu:[1]
Hallo, Bürger aus Phaleron, du da, Apollodoros, willst
du nicht warten? Und ich blieb stehen und wartete.
Apollodor, sagte er, wahrhaftig, schon neulich suchte
ich nach dir, weil ich dich ausfragen wollte über den
Abend bei Agathon, als Sokrates und Alkibiades und b
die anderen da zu Gast waren, – und zwar über die
Reden, die sie dabei auf den Eros hielten. Jemand an-
ders erzählte mir nämlich davon, der es von Phoinix,
dem Sohn des Philippos, gehört hatte; er behauptete,
auch du wissest darüber Bescheid. Aber er konnte
nichts Genaues berichten; so erzähl' also du mir! Du
bist doch am ehesten der rechte Mann, um die Worte
deines Freundes wiederzugeben. Zuvor aber, fuhr er
fort, sage mir: Warst du selbst bei dieser Gesellschaft
zugegen oder nicht?

Und ich erwiderte: Offenbar hat dir dein Berichter-
statter überhaupt nichts Genaues mitgeteilt, wenn du c
meinst, die fragliche Gesellschaft habe erst kürzlich
stattgefunden, so daß auch ich dabei gewesen sei.

Ja, das glaubte ich allerdings.

Wie, Glaukon, sagte ich, weißt du denn nicht, daß Agathon schon viele Jahre gar nicht mehr im Lande ist?

Daß aber ich mich dem Sokrates angeschlossen habe und es meine Hauptsorge ist, Tag für Tag zu wissen, was er alles sagt oder tut, – das ist noch keine drei Jahre
173 a her! Vorher lief ich so aufs Geratewohl umher, in der Meinung, damit etwas Rechtes zu tun, und war dabei doch der armseligste Tropf – genauso wie du jetzt; denn du glaubst ja, du müßtest alles andere eher betreiben als Philosophie.

Spotte nicht, entgegnete er, sondern sage mir lieber, wann denn nun diese Gesellschaft stattgefunden hat.

Und ich antwortete: Da waren wir noch Kinder; das war damals, als Agathon mit seiner ersten Tragödie gesiegt hatte[2], und zwar am Tage, nachdem er das Opferfest für den Sieg mit den Männern seines Chors gefeiert hatte.

Dann ist es offenbar schon lange her, sagte er. Aber wer hat dir davon erzählt? Etwa Sokrates selbst?

b Nein, beim Zeus, gab ich zur Antwort, vielmehr derselbe, von dem es auch Phoinix hat: Aristodemos war's, der Kleine aus Kydathen, der immer barfuß herumläuft. Der war bei der Gesellschaft zugegen, und keiner war damals ein so leidenschaftlicher Verehrer des Sokrates, glaub' ich, wie er. Immerhin habe ich auch den Sokrates über einiges, was ich von jenem gehört hatte, befragt, und er bestätigte mir dessen Aussagen.

Nun denn, sagte Glaukon, willst du mir nicht erzählen? Der Weg zur Stadt ist doch ganz wie dazu geschaffen, um im Gehen zu reden und zuzuhören.

Also gingen wir miteinander und sprachen zugleich

von alldem, so daß ich, wie anfangs gesagt, ganz gut c
vorbereitet bin. Wenn ich es nun auch euch erzählen
soll, so sei's. Denn sooft ich Reden über Philosophie
selber halte oder von anderen höre, ist, abgesehn vom
Gewinn, den ich darin sehe, meine Freude darüber stets
über die Maßen groß. Andere Reden aber, besonders
die von euch reichen Geldsäcken, machen mich ver-
drossen; und mit euch, ihr Freunde, kann ich nur
Mitleid haben, weil ihr euch einbildet, etwas Sinnvol-
les zu tun – und ihr tut doch nur nichtiges Zeug! d
Dagegen haltet ihr mich vielleicht für einen armen
Kerl, und da, glaube ich, habt ihr recht; von euch
freilich glaube ich das nicht nur, sondern weiß ich es
bestimmt.

EINER DER FREUNDE Immer bist du der gleiche, Apol-
lodor; denn immer sprichst du schlecht von dir und
allen andern. Mir scheint, du hältst einfach jeden für
einen jämmerlichen Wicht, nur Sokrates nicht, – und
dich selbst zuallererst. Wieso du ausgerechnet zu dem
Beinamen »der Sanfte« kamst, ist mir unerfindlich, wo
du doch in deinen Reden ständig gegen dich selbst und
alle anderen wütest, nur gegen Sokrates nicht.

APOLLODOROS Ganz klar, Teuerster: bei *der* Einschät- e
zung, die ich von mir selbst und von euch habe, muß
ich doch rasend und toll werden!

EINER DER FREUNDE Es hat keinen Wert, Apollodor,
jetzt darüber zu streiten; erfüll' uns vielmehr unsere
Bitte und berichte: was für Reden hielten sie denn nun
damals auf den Eros?

APOLLODOROS Sie waren etwa folgendermaßen – doch

174 a nein, ich will lieber von Anfang an, genau wie Aristodemos es tat, euch zu berichten versuchen.

II. Er sagte also, Sokrates sei ihm begegnet, frisch gebadet und mit feinen Sandalen angetan, was sonst selten bei ihm vorkam. Auf die Frage, wohin er denn so schön aufgemacht gehe, habe er erwidert: Zum Gastmahl bei Agathon. Denn gestern während der Siegesfeier bin ich ihm ausgewichen, aus Scheu vor dem Menschengedränge; ich sagte ihm aber mein Erscheinen für heute zu. Darum habe ich mich so herausgeputzt, um schön zu einem Schönen zu kommen.
b Aber du, wie steht's mit dir, willst du nicht ungeladen zum Mahle mitkommen?

Und ich, sagte Aristodem, gab darauf zur Antwort: Ganz so, wie du es für richtig hältst.

Begleite mich also, sagte Sokrates, wir wollen damit gleich dem Sprichwort eine neue Wendung geben, daß just »zum Mahle der Edlen ⟨»agathon«⟩ von selber kommen die Edlen ⟨»agathoi«⟩«.[3] Homer hat freilich, fürchte ich, dieses Sprichwort nicht nur verändert, sondern es sogar voll Übermut in seinem Sinn verdreht. Denn obwohl er den Agamemnon als hervorra-
c gend tüchtigen Kriegsmann, den Menelaos hingegen als »schwächlichen Lanzenkämpfer«[4] darstellte, ließ er doch, als Agamemnon ein festliches Opfermahl gab, den Menelaos ungeladen zum Schmaus kommen, ihn, den schlechteren Mann zum Schmaus des besseren!

Auf diese Worte habe er erwidert: Wer weiß, dann sieht es womöglich so aus, als käme ich – nicht wie du es meinst, Sokrates – vielmehr eben in dem Sinne

Homers als Unwerter ungebeten zum Mahl eines weisen Mannes. Laß dir nur, wenn du mich mitnimmst, eine passende Rechtfertigung einfallen. Denn ich werde nicht zugeben, daß ich ungeladen komme, son- d
dern erklären, ich sei von dir eingeladen. »Wandernd zu zweit auf dem Weg«[5], sprach er, werden wir darüber beraten, was wir sagen sollen. Gehen wir also!

So ungefähr hätten sie miteinander geredet und sich dann auf den Weg gemacht. Sokrates aber sei unterwegs, irgendwie in seine Gedanken versunken, allmählich hinter ihm zurückgeblieben, und als er auf ihn warten wollte, habe er ihm zugerufen, er solle nur vorangehen. Wie er selbst nun am Haus des Agathon ange- e
langt sei, habe er die Tür offen gefunden, und da sei ihm etwas recht komisch vorgekommen. Es sei ihm nämlich sofort ein Diener von drinnen entgegengelaufen und habe ihn hineingeführt, wo die anderen zu Tische lagen; und die hätten eben mit dem Essen beginnen wollen. Kaum habe Agathon ihn erblickt, habe er ihm zugerufen: Ah, Aristodem, du kommst gerade recht, um mitzuspeisen! Führt dich anderes her, verschieb es auf später. Habe ich dich doch gestern gesucht, um dich einzuladen, ich konnte dich aber nicht entdecken. Aber wieso bringst du uns den Sokrates nicht mit?

Da wende ich mich um, doch nirgends sehe ich Sokrates auftauchen. Ich sagte also, ich selbst sei ja mit Sokrates hergekommen, der mich hierher zum Essen gleich miteingeladen habe.

Daran tatest du recht, erwiderte Agathon, aber wo ist er denn?

175 a Er war eben noch dicht hinter mir, im Begriffe, einzutreten; ich wundere mich selbst, wo er steckt.

Schau doch einmal nach, Bursche[6], habe Agathon befohlen, und führe den Sokrates herein! Du aber, Aristodem, laß dich neben Eryximachos nieder.[7]

III. Und der Diener habe ihm die Füße gewaschen, damit er sich zu Tische legen konnte. Da sei ein anderer Diener mit der Meldung hereingekommen: Der vermißte Sokrates ist in die Vorhalle des Nachbarhauses abgeschwenkt; dort steht er nun und will trotz meiner Aufforderung nicht eintreten.

Sonderbar, was du da sagst, bemerkte Agathon, ruf ihn nur noch mal herein und laß nicht locker!

b Doch er selbst habe widersprochen: Auf keinen Fall, laßt ihn bloß in Ruhe; das ist so eine Gewohnheit von ihm. Bisweilen tritt er beiseite, egal wo er gerade ist – und da bleibt er einfach stehen. Er wird sicher gleich hier sein. Stört ihn nicht, laßt ihn.

Gut, wollen wir's so halten, wenn du meinst, habe Agathon gesagt. Doch uns hier, Burschen, tischt jetzt die Speisen auf! Ihr tragt ja doch immer nur auf, was ihr wollt, wenn euch niemand auf die Finger guckt; und das habe ich nie getan. Stellt euch nun einmal vor, ich
c und die anderen hier seien eure Gäste; sorgt so für uns, daß wir euch loben!

Hierauf hätten sie gespeist, aber kein Sokrates sei hereingekommen. Agathon habe wiederholt jemanden angewiesen, Sokrates zu holen; er, Aristodem, habe es jedoch nicht zugelassen. Endlich sei er erschienen, mit weniger Verspätung als gewöhnlich, ungefähr als sie in

der Mitte des Mahles gewesen seien. Da habe ihn
Agathon – er war nämlich allein auf der äußersten
Liege – aufgefordert: Komm hierher, Sokrates, nimm
neben mir Platz, damit ich durch die Berührung mit
dir auch Gewinn von dem weisen Einfall habe, der dir d
in der Vorhalle gekommen ist. Denn offenbar hast du
das Gesuchte gefunden und hältst es fest; vorher hättest
du ja gewiß nicht abgelassen.

Sokrates habe sich nun niedergesetzt und gesagt: Das
wäre ja eine feine Sache, Agathon, wenn es mit der
Weisheit so stünde, daß sie aus dem Volleren von uns in
den Leereren flösse, sooft wir einander berühren, wie
das Wasser, das durch einen Wollfaden vom volleren
Becher in den leereren rinnt.[8] Wenn es sich so auch mit
der Weisheit verhält, dann schätze ich den Platz neben e
dir hoch ein; gewiß wird sich aus dir viel herrliche
Weisheit in mich ergießen. Meine eigene ist ja eher
kümmerlich oder gar zweifelhaft wie ein Traum.[9]
Deine hingegen ist glänzend und mächtig im Auf-
schwung; strahlte sie doch von dir, jung wie du bist,
schon so gewaltig aus und offenbarte sich vorgestern
vor den Augen von mehr als dreißigtausend Helle-
nen.[10]

Ein Spötter bist du, Sokrates, sagte Agathon. Diese
Sache mit der Weisheit wollen wir zwei gleich nachher
miteinander ausmachen und zum Schiedsrichter dabei
den Dionysos nehmen; jetzt halte dich zunächst ans
Essen!

IV. Da habe es sich Sokrates auf seinem Speisesofa 176 a
bequem gemacht und gegessen wie die anderen auch,

und sie hätten Trankopfer dargebracht, einen Lobgesang auf den Gott angestimmt und die sonstigen Bräuche vollzogen; dann habe das Trinkgelage begonnen.

Zuerst ergriff Pausanias, erzählte Aristodem, etwa folgendermaßen das Wort: Was meint ihr, Freunde, auf welche Weise werden wir am behaglichsten zechen? Ich muß euch nämlich gestehen, mir macht der gestrige Umtrunk wirklich noch schwer zu schaffen, und ich habe einige Erholung nötig – so geht's vermutlich auch den meisten von euch; ihr wart ja gestern dabei.
b Drum seht zu, wie wir uns das Trinken möglichst erleichtern.

Aristophanes habe dazu geäußert: Ein guter Vorschlag, Pausanias, das Gelage nach Möglichkeit ohne Trinkzwang zu gestalten! Ich bin ja auch einer von denen, die gestern versumpft sind.

Den beiden habe Eryximachos, der Sohn des Akumenos, zugestimmt: Wohl gesprochen! Doch von einem unter euch muß ich noch hören, wie's mit seinem Trinkvermögen steht: magst du noch, Agathon?

Ganz und gar nicht, habe der gesagt, ich bin auch am Ende meiner Kräfte.

c Das ist ja, meine ich, ein rechter Glücksfall für uns, fuhr Eryximachos fort, für mich und Aristodemos und Phaidros und die anderen hier, wenn ihr, die tüchtigsten Zecher, jetzt die Waffen streckt. Wir anderen sind in dieser Beziehung ja nie Helden. Den Sokrates nehme ich allerdings dabei aus. Der ist zu beidem fähig, so daß er zufrieden sein wird, ob wir es nun so oder so halten.

Da ich den Eindruck habe, daß keiner der Gäste Lust
hat, viel Wein zu trinken, falle ich euch vielleicht nicht
so lästig mit ein paar Worten darüber, was es mit der
Trunkenheit in Wahrheit auf sich hat. Mir ist nämlich
eben dies aus meiner ärztlichen Erfahrung klargewor- d
den, daß der Rausch den Menschen unzuträglich ist.
Und ich möchte daher selbst nicht gern drauflos trin-
ken und auch keinem anderen dazu raten, erst recht
nicht, wenn man noch vom Vorabend her einen
schweren Kopf hat.

Aber gewiß – sei ihm da Phaidros der Myrrhinusier ins
Wort gefallen: ich bin gewohnt, dir zu folgen, vor
allem, wenn du als Mediziner sprichst; heute werden
das aber auch die anderen tun, sofern sie vernünftig
sind.

So seien alle übereingekommen, an diesem Abend e
ohne Rausch zu bleiben, vielmehr nur nach Lust und
Laune zu trinken.

V. Nachdem also ausgemacht ist, sagte Eryximachos,
daß jeder nur so viel trinkt, wie er mag, und es keinen
Trinkzwang gibt, schlage ich weiterhin vor, die Flö-
tenspielerin, die eben eingetreten ist, wieder fortzu-
schicken; soll sie sich selbst vorspielen, oder wenn sie
will, den Frauen im Hause! Wir aber können uns in der
heutigen Runde mit Reden unterhalten – und mit was
für Reden, das will ich, wenn es euch recht ist, auch
gleich vorschlagen.

Alle hätten sich einverstanden erklärt und ihn aufge- 177 a
fordert, seinen Vorschlag zu machen. Und Eryxima-
chos habe gesagt: Ich beginne mit Worten aus der

›Melanippe‹ des Euripides, denn »Nicht mein ist der
Gedanke«, den ich vorbringen will, sondern von unse-
rem Phaidros hier. Phaidros sagt nämlich bei jeder
Gelegenheit aufgebracht zu mir: Ist es nicht arg, Ery-
ximachos, anderen Göttern wurden Hymnen und
Päane von unseren Dichtern gedichtet; dem Eros aber,
diesem alten, mächtigen Gott, hat kein einziger aus der
b großen Schar der Poeten je ein Preislied geweiht! Oder
sieh dir auch die wackeren Sophisten an: auf Herakles
und andere verfassen sie Lobreden in Prosa, wie zum
Beispiel der treffliche Prodikos – und darüber braucht
man sich ja nicht weiter zu wundern; aber mir fiel auch
schon das Buch eines gescheiten Mannes in die Hände,
in dem das Salz ein wundersames Lob erhielt ob seines
c Nutzens, und eine Menge solcher Dinge findet man
feierlich gepriesen. Auf so etwas hat man also viel Eifer
verwendet; doch den Eros würdig zu besingen, das hat
noch kein Mensch bis auf den heutigen Tag gewagt. So
unbeachtet blieb dieser gewaltige Gott! – Phaidros,
meine ich, hat da ganz recht. Ich möchte nun sein
Anliegen unterstützen und ihm so einen Gefallen tun;
zudem scheint es mir für uns, die wir hier versammelt
sind, der geeignete Augenblick, den Gott zu feiern.
d Wenn ihr der gleichen Ansicht seid, werden wir durch
unsere Reden gewiß genügend Unterhaltung haben.
So lautet mein Antrag: Rechtsherum der Reihe nach
soll jeder von uns eine Lobrede auf Eros halten, so gut
er es vermag. Den Anfang möge Phaidros machen,
denn er liegt ja obenan und ist zugleich der Vater dieses
Themas.

Niemand, Eryximachos, wird gegen dich stimmen, habe da Sokrates gesagt. Ich selber könnte es nicht gut ablehnen, wo ich doch behaupte, mich auf nichts anderes zu verstehen als auf die Erotik; aber auch Agathon und Pausanias könnten es nicht, und schon gar e
nicht Aristophanes, dessen ganzes Schaffen sich um Dionysos und Aphrodite dreht, und auch sonst wohl niemand von denen, die ich hier sehe. Allerdings sind wir auf den letzten Plätzen im Nachteil; doch wenn die vor uns passend und schön reden, wollen wir zufrieden sein. Wohlan, mit gutem Glück beginne denn Phaidros und preise den Eros!

Dem stimmten auch alle anderen zu und schlossen sich 178 a
der Aufforderung des Sokrates an.

Nun konnte sich freilich Aristodemos nicht mehr an alle Einzelheiten der Reden genau erinnern, und auch ich[11] weiß nicht mehr alles von seinem Bericht. Doch was von alldem und wessen Reden mir am meisten der Erinnerung wert schienen, das will ich euch im einzelnen wiedergeben.

VI. Als erster habe, wie gesagt, Phaidros etwa damit begonnen, daß Eros ein großer Gott sei und der Bewunderung wert bei Menschen und Göttern aus vielerlei Gründen, nicht zuletzt wegen seiner Herkunft. Denn zu den ältesten Göttern zu gehören ist ehrenvoll. b
Beweis dafür sei: es gibt keine Eltern des Eros, und es werden auch keine genannt, von niemandem, sei er Prosaschriftsteller oder sei er ein Dichter. Hesiod sagt vielmehr, zuerst sei das Chaos entstanden,

»aber darauf dann
Ward die Erde, breitbrüstig, für alle ein dauernder Wohnsitz,
Und auch der Eros!«[12]

Er also sagt, nach dem Chaos seien diese beiden entstanden, die Erde und Eros. Parmenides aber verkündet von der Schöpfungsgottheit:

»Als den ersten von allen Göttern ersann sie den Eros.«[13]

c Mit Hesiod stimmt auch Akusilaos überein.[14] So ist man sich von vielen Seiten einig, daß Eros unter die ältesten Götter gehört. Als uralter Gott aber ist er uns Urheber der größten Güter.

Ich wüßte nämlich kein größeres Gut zu nennen als schon für den Knaben einen treu liebenden Freund und für den Liebenden einen ebenso treuen Geliebten. Denn was die Menschen durch ihr ganzes Leben leiten sollte, wenn sie auf rechte Weise zu leben trachten, das vermag weder Verwandtschaft in sie hineinzubringen,
d noch Ehrungen noch Reichtum – nichts kann dies so gut wie der Eros. Was meine ich damit? Die Scham vor dem sittlich Häßlichen, den Wetteifer im sittlich Schönen.[15] Ohne das kann kein Staat, kein Privatmann große und wertvolle Werke vollbringen. Ich behaupte nämlich: Wird ein Mann, der liebt, dabei ertappt, wie er etwas Häßliches tut oder aus Feigheit ohne Gegenwehr so etwas duldet, er würde den Blick des Vaters, der Gefährten oder sonst irgendjemandes nicht so

schmerzlich empfinden wie den des Geliebten. Und e
dieselbe Beobachtung machen wir bei dem Geliebten: mehr als vor allen andern schämt er sich jeweils vor dem, der ihn liebt, wenn er bei etwas Schändlichem gesehn wird. Ja, gelänge es, einen Staat oder ein Heer aus Liebenden und Geliebten zu bilden[16], so lebten sie auf das Allerbeste in ihrer Gemeinschaft, weil sie sich von allem Häßlichen fernhielten, doch um Ehre mit-
einander wetteifern würden. Seite an Seite kämpfend 179 a
würden sie auch als kleine Schar siegen, fast möcht' ich sagen: über die ganze Welt. Denn würde ein Liebender vom Geliebten dabei erblickt, wie er aus der Schlachtreihe weicht oder die Waffen wegwirft – von jedem andern könnte er das eher ertragen, und hundertmal lieber würde er sterben als das! Oder gar den geliebten Freund im Stich lassen, ihm nicht beistehn in Gefahr, nein, so erbärmlich ist keiner, daß ihn nicht Eros selber göttlich begeistern könnte zur Tugend[17] und dem
gleich machte, der von Natur aus der Beste ist. Und b
was Homer sagt: »Mut hauchte ein«[18] einigen Helden der Gott, das schenkt Eros den Liebenden als seine Gabe.

VII. Ja, füreinander zu sterben sind allein die Liebenden bereit, nicht nur Männer, sondern selbst Frauen. Dafür bietet des Pelias Tochter Alkestis hinlängliches Zeugnis vor den Hellenen; sie allein wollte für ihren Gatten sterben, obschon ihm Vater und Mutter noch lebten.
Die übertraf sie dank Eros so weit an Liebe[19], daß sie c
bewies, wie beide ihrem Sohne fremd und nur dem Namen nach zugehörig seien. Und die Tat, die sie

vollbracht hatte, schien nicht nur den Menschen, son-
dern auch den Göttern überaus edel; denn wenngleich
die Götter von den vielen, die edelmütig handelten,
nur einigen wenigen dies zum Lohn gewährten, daß sie
aus dem Hades ihre Seele wiederum entließen: *ihre*
d Seele entließen sie voll Bewunderung für ihre Tat. So
ehren auch die Götter den Drang zu edlem Handeln,
der aus Eros erwächst, am höchsten. Den Orpheus
freilich, den Sohn des Oiagros, schickten sie unverrich-
teter Dinge aus dem Hades zurück, und nur ein Schat-
tenbild von seiner Frau, um deretwillen er gekommen
war, hatten sie ihm gezeigt. Sie selbst gaben sie ihm
nicht, denn er schien ihnen so recht nach Art eines
Harfenspielers verweichlicht zu sein[20], nicht beherzt
genug, um seiner Liebe willen zu sterben wie Alkestis,
sondern listig nur darauf bedacht, lebend in den Hades
zu gelangen. Darum bestraften sie ihn und ließen ihn
e den Tod von Weiberhand erleiden. Wie anders erging
es dem Achilleus! Ihn, den Sohn der Thetis, ehrten sie,
und sie entrückten ihn auf die Inseln der Seligen. Er
hatte von seiner Mutter erfahren, daß er sterben müsse,
wenn er den Hektor töte, daß er aber, täte er es nicht,
heimkehren und ein hohes Alter erreichen könne.[21]
Doch er entschied sich mutig, rächend einzustehen für
180 a seinen Freund Patroklos, und dabei nicht nur *für* ihn in
den Tod zu gehn, sondern ihm, dem Gefallenen, sogar
*nach*zugehen in den Tod. Da bewunderten ihn auch die
Götter über die Maßen und ehrten ihn vor allen, weil
er den älteren Freund, der ihm in Liebe zugetan war, so
wert hielt. Aischylos aber fabelt, wenn er behauptet,

Achill sei in Patroklos verliebt gewesen, er, der doch
der Schönere war von den beiden, ja, der Schönste
sogar unter allen Helden; auch war er noch bartlos,
zudem viel jünger, wie Homer sagt. Am höchsten
wahrlich ehren die Götter die Heldentat, die aus Eros b
geschieht; indes bewundern und bestaunen und beloh-
nen sie es noch mehr, wenn der Geliebte dem Lieben-
den, als wenn der Liebende dem Geliebten zugetan ist.
Denn göttlicher ist der Liebende als der Geliebte: ist in
ihm doch der Gott. Deshalb haben sie auch Achill
höher geehrt als Alkestis und *ihn* auf die Inseln der
Seligen entrückt.

So behaupte ich denn: Eros ist der älteste und ehrwür-
digste unter den Göttern und für die Menschen der
mächtigste Führer zur Vollkommenheit und Glückse-
ligkeit im Leben wie im Tode.

VIII. So ungefähr habe die Rede des Phaidros gelautet, c
sagte Aristodem. Darauf seien einige andere Reden
gefolgt, an die er sich nicht genau erinnere; die über-
ging er, um die Rede des Pausanias wiederzugeben.
Der habe folgendermaßen gesprochen:

Nicht gerade glücklich, meine ich, Phaidros, ist uns das
Thema gestellt, indem man uns so einfach auftrug, den
Eros zu preisen. Ja, gäbe es nur einen einzigen Eros,
dann wäre das ganz recht. Nun gibt es aber nicht nur
einen, und weil es nicht nur einen gibt, ist es richtiger,
zuvor zu bestimmen, welchen es zu loben gilt. Ich will d
also versuchen, dies zu berichtigen, und zuerst dartun,
welcher Eros Lob verdient, um ihn danach zu loben,
wie es des Gottes würdig ist.

Wir wissen alle, daß Aphrodite nie ohne Eros ist. Gäbe
es nun nur eine Aphrodite, so gäbe es auch nur einen
Eros. Da es aber bekanntlich zwei gibt, muß es auch
zweierlei Eros geben. Sind es denn etwa nicht zwei
Göttinnen? Die eine ist die ältere, die mutterlose Toch-
ter des Himmels, der wir auch den Beinamen »die
Himmlische« geben; die jüngere ist die Tochter des
c Zeus und der Dione, die nennen wir »die All-gemeine«.
Folglich heißt der eine Eros, der Gehilfe der letzteren,
zu Recht »der All-gemeine«, der andere aber »der
Himmlische«.

Loben soll man zwar alle Götter; was nun aber jedem
von beiden zukommt, das gilt es zu sagen. Mit jedem
Handeln verhält es sich so: an sich ist es weder schön
181 a noch häßlich. So ist zum Beispiel nichts von dem, was
wir jetzt tun, ob wir trinken oder singen oder mitein-
ander reden, an und für sich schön, sondern erst im
Vollzug, je nachdem wie es getan wird, stellt es sich als
so oder so heraus: schön und richtig getan wird es
schön, unrichtig getan häßlich. So auch das Lieben:
nicht jeder Eros ist schön und wert, gepriesen zu wer-
den, sondern nur der, welcher zum schönen Lieben
hinführt.

IX. Der Eros nun, der zur all-gemeinen Aphrodite
b gehört, ist wahrlich allen gemein und wirkt wahllos;
ihm sind die gemeinen Leute ergeben. Leute solchen
Schlages lieben erstens ohne Unterschied Frauen wie
Knaben, sodann richten sie ihr Begehren mehr auf die
Körper als auf die Seelen, obendrein lieben sie mög-
lichst die Dümmsten, weil sie ja nur darauf aus sind,

rasch Befriedigung zu finden, unbekümmert darum,
ob es in schöner Form geschieht oder nicht. So kommt
es, daß sie alles tun, wie es sich gerade anbietet, das Gute
ebenso wie das Gegenteil. Ihr Eros stammt ja auch von
der Göttin, welche viel jünger ist als die andere und die c
in ihrem Ursprung am Weiblichen wie am Männlichen
teilhat. Der andere Eros kommt hingegen von der
himmlischen Göttin, die erstens nicht am Weiblichen,
sondern nur am Männlichen teilhat – deshalb ist dies
der Eros zu jungen Männern – und die außerdem die
ältere ist und kein Ausschweifen kennt. Daher wendet
sich, wer von diesem Eros begeistert ist, dem Männli-
chen zu: zu dem, was von Natur stärker und eher
vernunftbegabt ist, fühlt er sich hingezogen. Und in
der Knabenliebe selbst kann man diejenigen durchaus
erkennen, die rein von diesem Eros getrieben werden: d
denn sie lieben nicht Knaben im Kindesalter, sondern
wenn sich schon ihr Verstand regt; dies fällt etwa in die
Zeit des ersten Bartwuchses. Wer dann erst zu lieben
beginnt, der ist, glaube ich, bereit, allzeit mit dem
Freund zusammen zu bleiben und mit ihm gemeinsam
zu leben; keinesfalls wird er, sofern er einen in jugend-
lichem Unverstand für sich gewann, diesen hernach
betrügen und hohnlachend von ihm weg zu einem
andern entlaufen. Ja, ein Gesetz sollte verbieten, unreife e
Knaben zu lieben, damit man nicht auf etwas Unge-
wisses viel Mühe vertut; denn bei Kindern ist es noch
ungewiß, ob sie sich schließlich zur Schlechtigkeit oder
zur Tüchtigkeit an Geist und Körper entwickeln. Die
edelgesinnten Männer stellen sich freilich von sich aus

dieses Gesetz auf; man sollte aber ebenfalls jene ge-
wöhnlichen Liebhaber dazu zwingen, wie wir sie ja
182 a auch nach Kräften daran hindern, sich freigeborenen
Frauen zu nähern. Sie sind es auch, die das Ganze in
Verruf gebracht haben, so daß manche zu sagen wagen,
eine Schande sei es, sich einem Liebenden hinzugeben.
Sie sagen es mit Blick auf diese Leute, deren Zudring-
lichkeit und Gewissenlosigkeit sie vor Augen haben.
Was hingegen mit Anstand und Sitte geschieht, kann
nie zu Recht Tadel eintragen.

Welche Sitte im erotischen Bereich nun aber jeweils in
anderen Staaten herrscht, ist leicht zu erkennen; an-
derswo sind die Bestimmungen nämlich einfach, wäh-
b rend sie hierzulande und in Sparta vieldeutig sind. In
Elis und bei den Boiotiern und wo sonst noch die Leute
im Reden nicht geschickt sind, gilt es nach der Sitte
einfach für schön, sich Liebenden hinzugeben, und
niemand, weder Jung noch Alt, würde Häßliches daran
finden; sie wollen, denke ich, sich die Mühe ersparen,
die jungen Männer erst durch Überredung gewinnen
zu müssen, denn das Reden ist ja nicht ihre Stärke. In
Ionien indes und in vielen anderen Gebieten, wo man
unter der Oberhoheit von Barbaren lebt[22], ist dieser
Eros verpönt. Die Barbaren mit ihrer Tyrannenherr-
schaft müssen ihn ja als schändlich verdammen, genau
c wie die Philosophie und den Sport. Ich meine nämlich,
es ist den Machthabern nicht von Vorteil, wenn ihre
Untertanen große Pläne entwerfen und sich zu festen
Freundschaften und Gemeinschaften zusammenschlie-
ßen, wobei ja vor allem Eros die treibende Kraft ist. In

der Tat haben das auch die Tyrannen hier bei uns
erfahren: Aristogeitons Liebe und die treue Freund-
schaft des Harmodios zu ihm bereiteten ihrer Herr-
schaft ein Ende. Wo es für häßlich gilt, Liebenden sich d
hinzugeben, da liegt das also an der Minderwertigkeit
derer, die es so gelten lassen: an der Machtgier der
Herrscher wie an der Unmännlichkeit der Beherrsch-
ten. Wo es aber ohne alle Einschränkung für sittlich
schön erklärt wurde, da zeugt es von dem mangelhaf-
ten Unterscheidungsvermögen der Gesetzgeber.
X. Bei uns hingegen herrscht eine viel schönere Sitte,
nur, wie gesagt, ist sie nicht leicht zu fassen. Bedenkt
doch: vor aller Augen zu lieben hält man für schöner
als dies heimlich zu tun, und am höchsten wird die
Liebe zu den Edelsten und Besten geschätzt, mögen sie
auch häßlicher von Gestalt als andere sein. Und weiter:
wie erstaunlich ist die Ermunterung, die der Liebende
von allen Seiten erfährt – ganz und gar nicht wie einer,
der etwas Schändliches treibt. Und wenn er den
Freund gewinnt, wird es als schön, wenn er ihn nicht e
gewinnt, wird es als schmählich empfunden. Ja, die
Sitte läßt den Verliebten bei seiner Werbung sogar
noch in dem Fall Billigung finden, daß er Absonderli-
ches ins Werk setzt – was einem vom Standpunkt der
Philosophie aus die größte Schande einbrächte, wagte
man damit einen anderen Zweck zu verfolgen als die- 183 a
sen. Denn wenn einer, um von jemandem Geld zu
bekommen oder ein Amt oder um sonstwie Einfluß zu
erlangen, sich aufführen wollte wie die Liebenden vor
den Geliebten: auf den Knien flehentliche Bitten stam-

meln, Eide schwören, vor ihren Türen die Nächte verbringen und sich zu Diensten bereit zeigen, die nicht einmal ein Sklave auf sich nehmen mag – würde er da nicht von Freund und Feind an solchem Handeln
b gehindert? Die Feinde würden ihn schmähen wegen Kriecherei und Würdelosigkeit, die Freunde ihm den Kopf zurechtsetzen und sich für ihn schämen. Der Liebende aber erregt Wohlgefallen mit all diesem Tun, und es ist ihm nach Brauch und Sitte gestattet, ohne Vorwurf so zu handeln, als ob er wer weiß was Herrliches täte! Und das Tollste: er allein, sagt man gemeinhin, findet bei den Göttern Verzeihung, wenn er seine
c Eide bricht; denn ein Liebeseid sei kein Eid, heißt es. So haben Götter und Menschen dem Liebenden jegliche Freiheit gewährt, so will es unsere Sitte.

Demnach könnte man meinen, in unserer Stadt gelte es für eine herrliche Sache, zu lieben und dem Liebenden ein Freund zu werden. Doch wie sieht es auf der anderen Seite aus? Väter stellen für ihre Söhne, die Eros erregen, Pädagogen als Aufseher an und tragen ihnen auf, Gespräche mit den Freunden nicht zu dulden. Altersgenossen und Kameraden rufen Schmähworte, wenn sie bemerken, daß so etwas dennoch vorkommt;
d und die älteren Leute gebieten diesen Tadlern ihrerseits nicht Einhalt oder verweisen ihnen ihre Schmähungen nicht als unberechtigt. Wer dies alles mitansieht, könnte meinen, die Knabenliebe gelte hierzulande gerade umgekehrt als größte Schande. Damit, glaube ich, verhält es sich aber so: Es ist, wie anfangs gesagt, Lieben nicht einfach an und für sich schön oder häßlich, son-

dern geschieht es auf schöne Weise, ist es schön, wenn
aber auf häßliche Weise, ist es häßlich. Häßlich nun ist
es, sich einem Schlechten auf schlechte Art und Weise
hinzugeben, schön hingegen, es bei einem Guten sowie
auf schöne Art und Weise zu tun. Von schlechter Art ist
aber jener »gemeine« Liebhaber, der den Körper mehr e
liebt als die Seele. Er ist auch nicht beständig, denn was
er liebt, hat ja selbst keinen Bestand. Sobald die Blüte
des Leibes, die er begehrte, dahin schwindet, »ist er
flugs auf und davon«[23] und macht seine wortreichen
Versprechungen zuschanden. Wer aber die edle We-
sensart eines Menschen liebt, bleibt ihm treu ein Leben
lang, weil er mit Bleibendem verschmolzen ist. Unsere 184 a
Sitte will also, daß man die Liebhaber gut und genau
prüft und dann dem einen sich hingibt, dem andern
sich aber versagt. Deswegen fordert sie: Diese sollen
werben und verfolgen, jene vor ihnen fliehn. Ein Wett-
kampf sei es und eine Probe, zu welcher von beiden
Gattungen der Liebende zählt und zu welcher der
Geliebte. So gilt es aus diesem Grunde erstens für
schimpflich, sich rasch zu ergeben; vielmehr soll Zeit
bis dahin vergehen, die bekanntlich ja meist eine si-
chere Probe schafft. Weiterhin ist es auch eine Schande,
sich durch Geld oder politischen Einfluß gewinnen zu
lassen, ob nun einer unter Druck nachgibt und nicht b
standhält, oder nicht stark genug ist, versprochene
Vorteile an Geld oder politischer Macht mit Verach-
tung von sich zu weisen. Denn nichts von alldem
scheint sicher und beständig, abgesehn davon, daß eine
echte Freundschaft daraus nicht erwachsen kann. Es

bleibt also nach unserer Sitte nur *ein* Weg, will der Geliebte sich dem Liebenden in rechter Weise hingeben: wie es ja für den Liebenden nicht als Kriecherei
c oder Schande gilt, seinem Geliebten bereitwillig jedweden Knechtsdienst zu leisten, so bleibt ⟨umgekehrt für den Geliebten gegenüber dem Liebenden⟩ nach unserem Brauch nur *ein* freiwilliger Knechtsdienst[24] ohne Schmach: der Dienst um der Selbstvervollkommnung willen.

XI. Bei uns herrscht nämlich die grundsätzliche Anschauung: Wenn einer einem anderen zu Diensten sein will in dem Glauben, er werde durch ihn in irgendeinem Wissen und Können oder sonst auf einem Felde der Auszeichnung besser, so gilt diese freiwillige Knechtschaft nicht als schändlich und auch nicht als Kriecherei. Es müssen sich eben diese beiden Grundverfassungen: Liebe zu einem Mann und Liebe zur
d Weisheit wie zur sonstigen Tugend und Tüchtigkeit miteinander verbinden, soll sich die Hingabe des Geliebten an den Liebenden als recht erweisen. Wenn nämlich Liebender und Geliebter zusammenkommen, jeder nach seinem Grundsatz: der eine, daß er dem Geliebten, der sich ihm hingibt, zu Recht jeden Liebesdienst leiste, der andere, daß er dem, der ihn wissend, gut und tüchtig macht, seinerseits zu Recht jedwede Gefälligkeit erweise, und wenn der eine außerdem in
e Vernunft und sonstiger Tugend und Tüchtigkeit zu fördern vermag, und den anderen es danach verlangt, an Bildung und auch sonst an Wissen und Können zu gewinnen, dann, sofern diese Grundsätze in eins zu-

sammenfallen, und nur dann ergibt es sich, daß die Hingabe des Geliebten an den Liebenden schön ist – in einem anderen Falle aber nie.

Unter dieser Bedingung ist es auch überhaupt nicht schimpflich, das Opfer einer Täuschung zu werden. Bei allen anderen Beweggründen aber bringt es Schande, mag einer nun getäuscht werden oder nicht.
Denn wenn jemand einem Liebhaber, den er für reich 185 a
hält, um des Reichtums willen seine Gunst gewährt hat, sich dann aber getäuscht sieht und kein Geld bekommt, weil sich der Liebhaber als arm herausstellt, so ist das um nichts weniger schimpflich – hat doch so einer für seine Person offenbar bewiesen, daß er für Geld dem ersten besten zu jedwedem Dienste willfährig wäre, und das ist nicht schön. Umgekehrt aber: wenn jemand einem vermeintlich guten Mann seine Liebe schenkt, um durch die Freundschaft mit ihm selber besser zu werden, und dann getäuscht wird, weil
sich herausstellt, daß jener schlecht ist und ohne alle b
Vortrefflichkeit, so würde ihn eine solche Täuschung trotzdem ehren. Denn dieser Mann hat doch offenbar seinerseits deutlich gezeigt: um der Vortrefflichkeit willen und um besser zu werden wäre er einem jeden gegenüber zu jeglichem Dienste bereit; und das ist von allem das Schönste. So ist Hingabe immer etwas Schönes, wenn sie um der Selbstvervollkommnung willen geschieht.

Das ist der Eros, der von der »himmlischen« Göttin stammt, der »himmlische«; er ist von hohem Wert für
den Staat und für den Einzelnen. Er zwingt den Lie- c

benden wie den Geliebten, mit großer Sorgfalt an sich selbst im Streben nach Vollkommenheit zu wirken. Alle übrigen Arten des Eros gehören zu der anderen Göttin, der »all-gemeinen«. Das ist mein Beitrag, schloß er, wie ich ihn dir so aus dem Stegreif, Phaidros, zum Preise des Eros zu bieten vermag.

Als Pausanias nun pausierte – es lehren mich nämlich die Sophisten, so in Gleichklängen zu reden – hätte, wie Aristodemos berichtete, Aristophanes sprechen sollen; den habe aber gerade ein Schluckauf befallen, wohl weil er zuviel getrunken oder gegessen hatte oder aus sonst einem Grund. Und so sei er nicht imstande
d gewesen, eine Rede zu halten, sondern habe sich an den Arzt Eryximachos – der lag nämlich auf dem Platz neben ihm – mit den Worten gewendet: Ach, Eryximachos, du bist doch der rechte Mann dazu: mach, daß mein Schluckauf vergeht, oder rede du statt meiner, bis ich ihn los bin.

Und Eryximachos habe erwidert: Gut, ich will beides tun. Ich spreche an deiner Stelle und du hernach an meiner, sobald dein Schlucken vorüber ist. Während ich rede, wird er doch wohl aufhören, wenn du nur
e recht lange den Atem anhältst, falls nicht, so gurgle mit Wasser! Ist er aber sehr hartnäckig, dann führ' etwas zum Kitzeln in die Nase ein und niese. Und wenn du das ein- bis zweimal gemacht hast, hört auch der hartnäckigste Schlucken auf.

Fange nur gleich an mit deiner Rede, habe Aristophanes darauf gesagt, ich will es so machen.

XII. Da habe Eryximachos folgendermaßen gesprochen:

Nachdem Pausanias zwar einen schönen Anlauf zu der
Rede genommen, sie aber nicht befriedigend zuende 186 a
geführt hat, muß ich wohl versuchen, die Rede zu
einem Abschluß zu bringen. Einen zweifachen Eros hat
er meiner Ansicht nach zu Recht unterschieden. Daß
Eros aber nicht nur in den Seelen der Menschen als
Liebe zu den Schönen waltet, sondern auch als Trieb zu
vielem anderen allüberall in der Welt, etwa in den
Körpern der Tiere insgesamt und in den Pflanzen, die
aus der Erde sprießen, ja, mit einem Wort in allem
Seienden – das glaube ich aus der Heilkunde, eben aus
meinem Fach, ersehen zu haben: Groß und bewun- b
dernswert ist der Gott und alles umspannt er im
menschlichen wie im göttlichen Wirken.

Ich will in meiner Rede von der Medizin ausgehen,
nicht zuletzt um die Fahne meiner Wissenschaft hoch-
zuhalten. Zur Natur des Leibes gehört nämlich der
zweifache Eros: Das Gesunde und das Kranke im Kör-
per sind zugestandenermaßen etwas voneinander Ver-
schiedenes und Ungleiches; Ungleiches aber begehrt
und liebt niemals das Gleiche. Darum ist der Eros in
etwas Gesundem ein anderer als der in etwas Krankem.
Wenn Pausanias soeben von den Menschen allgemein
sagte, den Guten zu willfahren sei recht, bei Zuchtlosen c
aber sei es nicht recht, so gilt das auch im rein körper-
lichen Bereich: Dem Guten und Gesunden in jedem
Körper zu willfahren ist richtig, und man soll es auch
tun – eben hierin besteht das, was wir als das Heilkund-
liche bezeichnen; dem Schlechten und Kranken aber zu
willfahren ist nicht richtig, und dem muß man entge-

genwirken, sofern man als Fachmann verfahren will.
Denn die Medizin ist in der Hauptsache die Wissen-
schaft von den körperlichen »erotischen« Trieben zur
Stoffaufnahme und -ausscheidung. Und wer dabei den
d rechten vom unrechten Eros zu unterscheiden weiß,
der ist der tüchtigste Arzt; wer sodann einen solchen
Wandel herbeiführen kann, daß der Körper statt des
schlechten Eros den guten erhält, und wer sich außer-
dem darauf versteht, den guten Eros dort, wo er fehlt,
aber notwendig wäre, zu wecken oder umgekehrt ei-
nen vorhandenen schlechten auszutreiben, der wäre
wohl der rechte Meister seines Fachs. Die Elemente im
Körper, die sich am meisten feind sind, muß man
versöhnen können, daß sie sich einander befreunden
und lieben. Am feindlichsten aber sind die äußersten
Gegensätze: Kalt und Warm, Bitter und Süß, Trocken
e und Naß und so weiter. Diesen Gegensätzen Liebe und
Eintracht einzugeben, verstand unser Ahnherr Askle-
pios, wie unsere Dichter meines Erachtens glaubwür-
dig sagen, und damit hat er unsere Kunst begründet.
Die Heilkunde wird also, wie ich behaupte, ganz von
diesem Gotte geleitet, wie auch Leibesübungen und
Landbau.

187 a Bei der Musik aber wird es jedem klar, der auch nur ein
bißchen darüber nachdenkt, daß es sich mit ihr genauso
verhält – was vielleicht auch Heraklit sagen will, nur
drückt er es mit seinen Worten nicht deutlich aus: Das
Eine nämlich, sagt er, strebe auseinanderstrebend in
sich selbst zusammen, gleichwie die harmonische Fü-
gung des Bogens und der Leier.[25] Es ist aber ein großer

Widersinn, von der Harmonie zu behaupten, sie strebe
auseinander oder bestehe aus noch Auseinanderstre-
bendem. Doch vielleicht wollte er nur dies sagen: aus
dem Hohen und dem Tiefen, das zunächst auseinan- b
derstrebte, dann aber später zusammenstimmte, sei sie
durch die Kunst der Musik entstanden. Denn solange
noch das Hohe und das Tiefe auseinanderstreben, gibt
es wohl kaum Harmonie, ist doch Harmonie Zusam-
menklang, Zusammenklang aber so etwas wie Über-
einstimmung. Übereinstimmung von Auseinander-
strebendem, wenigstens solange es noch im Auseinan-
derstreben begriffen ist, kann es aber unmöglich geben.
Und nocheinmal: was auseinanderstrebt und somit
nicht zugleich übereinstimmt, kann unmöglich har-
monieren – wie ja auch der Rhythmus aus Schnell und c
Langsam entstanden ist, also aus Elementen, die zuerst
auseinanderstrebten, dann aber zur Übereinstimmung
gelangten.

Die Übereinstimmung in alldem wird also wie im
einen Fall durch die Heilkunde, so hier durch die Kunst
der Musik hergestellt, die gegenseitige Liebe und Ein-
tracht hervorruft. So ist denn auch die Musik Wissen
vom Wirken des Eros in Harmonie und Rhythmus.
Und im Gefüge selbst von Harmonie und Rhythmus
ist das Wirken des Eros gar nicht schwer zu erkennen,
während sich der zwiefache Eros noch nicht darin
findet. Wenn es aber darum geht, vor den Menschen
Rhythmus und Harmonie zu handhaben, ob einer nun d
darin schöpferisch ist – in dem Fall spricht man ja von
Komponieren, oder ob einer die bereits geschaffenen

Melodien und Metren richtig vorträgt – in dem Fall wird ja von musischer Bildung gesprochen – dann wird es schwierig und bedarf eines kundigen Meisters. Da kommen wir nämlich wieder auf denselben Grundsatz zurück: den gesitteten Menschen soll man zu gefallen suchen und auch denen, die es noch nicht sind, damit sie hierdurch gesittet werden; deren Eros muß man bewahren. Das ist der schöne, der himmlische, der
e Eros der Muse Urania. Derjenige der Polyhymnia[26] ist der all-gemeine: ihn darf man nur vorsichtig wecken, da, wo man dies tut, um zwar seine Lust zu genießen, aber dabei keine Zuchtlosigkeit zu erregen – wie es auch in unserer Kunst eine große Leistung ist, die Begierden nach den Erzeugnissen der Kochkunst richtig zu steuern, so daß man, ohne krank zu werden, den Genuß daran hat. In der Musik, in der Heilkunde, überall im menschlichen und göttlichen Wirken soll man möglichst auf beiderlei Eros achten; denn sie sind beide darin.

188 a XIII. Ja auch die Jahreszeiten, so wie sie sich zusammenfügen, sind in ihrem Ablauf von diesen beiden Wirkungskräften erfüllt. Denn wenn die eben genannten Gegensätze, das Warme und das Kalte, das Trockene und das Nasse, in ihrem Verhältnis zueinander von dem ordnenden ⟨dem »kosmischen«⟩ Eros bestimmt sind und so zu harmonischem Ausgleich und maßvoller Mischung gelangen, dann bringt ihr Kommen Gedeihen und Gesundheit für Menschen und Tiere und Pflanzen, und es verbreitet kein Unheil. Nimmt aber der Eros des Unmaßes in den Jahreszeiten

überhand, dann gibt es großes Verderben und Unheil.
Die Seuchen entstehen gerne daraus und viele andere b
Krankheiten bei Tieren und Pflanzen; zu Reif, Hagelschlag und Mehltau kommt es nämlich, sobald solche »erotischen« Triebkräfte durch Unmaß und Unordnung aus ihrem Gleichgewicht geraten.[27] Die entsprechende Wissenschaft, die sich auf den Umlauf der Gestirne und die Abfolge der Jahreszeiten bezieht, heißt Astronomie.

Und weiter: jedwedes Opfer und alles, worüber die Seherkunst sonst noch waltet – dies ist die wechselseitige Beziehung zwischen Göttern und Menschen – c
dient ausschließlich der heilsamen Wahrung des rechten Eros. Denn jegliche Mißachtung der Religion kommt gewöhnlich dann auf, wenn einer sich dem Eros der Sitte und Ordnung nicht hingibt, ihn nicht ehrt noch achtet in allem Tun, sondern es mit dem anderen Eros hält, sowohl gegenüber den Eltern im Leben und nach ihrem Tode wie gegenüber den Göttern. Da ist es nun Aufgabe der Seherkunst, die verschiedenen Arten des Eros zu prüfen und heilsam zu beeinflussen; und so stiftet die Seherkunst Freundschaft d
zwischen Göttern und Menschen, weil sie sich auf die Erostriebe im Menschen versteht, die Göttlichem und Heiligem gelten.

So vielfache und große, ja mehr noch: alle Gewalt überhaupt besitzt Eros in seiner Fülle. Der Eros aber, der um des Guten willen mit Besonnenheit und Gerechtigkeit waltet, bei uns und bei den Göttern, der hat die größte Macht und schenkt uns jegliche Glückselig-

keit, vor allem die Kraft, Gemeinschaft und Freund-
schaft miteinander und auch mit den Göttern zu haben,
e die mächtiger sind als wir. Vielleicht lasse ich im Lob
des Eros vieles aus, doch gewiß nicht mit Absicht; sollte
ich aber etwas weggelassen haben, ist es deine Aufgabe,
Aristophanes, das zu ergänzen. Oder wenn du im Sinn
hast, den Gott auf andere Weise zu preisen, so preise ihn
189 a nur. Deinen Schluckauf bist du ja los.

Darauf ergriff, so erzählte Aristodem, Aristophanes das Wort: Jawohl, er hat aufgehört, freilich nicht eher als bis ich ihm mit Niesen beikam. Dabei nimmt es mich wunder, daß der Ordnungstrieb im Leibe nach solchem Getöse und Gekitzel verlangt, wie es das Niesen ist. Denn augenblicks war der Schluckauf vorbei, als ich es mit dem Niesen probierte.

Und Eryximachos habe erwidert: Mein bester Aristo-
phanes, nimm dich in acht! Du reißt Witze über mich,
wo du doch gerade zu reden vorhast, und bringst mich
b dazu, den Aufpasser bei deiner Rede zu spielen, ob
nicht auch du etwas Lächerliches sagst – und du hättest
doch in Frieden sprechen können!

Da gab Aristophanes lachend zurück: Du hast recht, Eryximachos, und ich will nichts gesagt haben. Doch paß lieber nicht auf; ich habe schon Angst für die Rede, die ich halten soll, nicht etwa davor, daß ich etwas Komisches sagen könnte – das wäre Gewinn und gehörte ja zum Reich meiner Muse; nur Albernes darf ich nicht sagen!

Du hast mir zuerst eins versetzt, Aristophanes, habe Eryximachos gesagt, und nun meinst du, du könntest

mir entwischen; nein, nimm deinen Geist zusammen und rede so, als müßtest du mir Rede stehen. Vielleicht, c
wenn es mir paßt, laß ich dich dann laufen.

XIV. Allerdings, Eryximachos, begann Aristophanes, gedenke ich auf andere Art und Weise zu reden als ihr zwei, du und Pausanias es tatet. Ich habe nämlich den Eindruck, daß die Menschen der Macht des Eros überhaupt noch nicht innegeworden sind; sonst hätten sie ihm die größten Tempel und Altäre gebaut und die größten Opfer dargebracht. Nun geschieht nichts von alledem für ihn, der es doch am ehesten verdiente. Denn er ist der menschenfreundlichste unter den Göt- d
tern, Helfer der Menschen und Arzt für die Leiden, deren Heilung dem Menschengeschlechte wohl die größte Glückseligkeit bringt. Ich will daher versuchen, euch seine Macht zu enthüllen; ihr werdet dann die Lehrer der anderen sein!

Zunächst sollt ihr von der menschlichen Natur und ihren Schicksalen vernehmen. Ursprünglich war unsere Natur nämlich nicht die sie jetzt ist, sondern eine andere: gab es doch am Anfang dreierlei Geschlechter von Menschen, nicht nur zwei wie jetzt, das männliche und das weibliche, vielmehr noch ein drittes, das diese e
beiden in sich vereinte; bloß der Name ist von ihm geblieben, indes es selbst verschwand. Denn das Mannweib war damals noch ein eigenes Geschlecht, nach Aussehn wie Bezeichnung eine Einheit aus den beiden anderen, dem männlichen und dem weiblichen; jetzt aber lebt nur noch sein Name fort, und der als Schimpfwort.

Sodann war die Gestalt eines jeden Menschen noch ein
Ganzes und zwar rund: Rücken und Seiten schlossen
sich ringsum zu einem Kugelrumpf zusammen.[28] Vier
Arme hatte dieses Wesen und ebensoviele Beine und
190 a zwei Gesichter auf kreisrundem Hals, beide einander
völlig gleich, aber nur einen einzigen Schädel über
diesen zwei voneinander abgekehrten Gesichtern, zu-
dem vier Ohren, zwei Geschlechtsteile und alles an-
dere, wie man es sich danach wohl ausmalen kann.
Man schritt aufrecht wie heute, dabei nach Belieben
vorwärts oder rückwärts. Wollten sie aber schnell lau-
fen, so machten sie es wie die Leute beim Radschlagen,
die ihre Beine stracks in die Höhe und wieder zurück
in den aufrechten Stand schwingen und sich in kreisen-
der Bewegung überschlagen: Mit den acht Gliedma-
ßen, die sie damals hatten, stützten oder stießen sie sich
ab und bewegten sich so rasch im Kreisschwung fort.
b Daß es drei Geschlechter gab und daß sie so beschaf-
fen waren, hatte folgenden Grund: das Männliche
stammte ursprünglich von der Sonne, das Weibliche
von der Erde und das ⟨Doppelgeschlecht⟩, welches an
beiden teilhat, vom Monde, da ja auch der Mond an
beiden ⟨Sonne und Erde⟩ teilhat. Und rund waren sie
selbst und entsprechend ihr Gang, weil sie ihren Eltern
glichen. Sie waren also von gewaltiger Kraft und
Stärke und hatten verwegene Gedanken, ja sie wagten
sich sogar an die Götter heran. Was Homer von Ephial-
tes und Otos erzählt, das gilt auch von ihnen: den
c Aufstieg in den Himmel hatten sie versucht, um die
Götter anzugreifen.

XV. Da hielten Zeus und die anderen Götter Rat, was man gegen sie unternehmen solle, und sie waren in Verlegenheit. Sie konnten sie doch nicht einfach töten und ihr Geschlecht wie das der Giganten mit Blitzen vernichten – damit hätten sie sich ja selbst um Ehren und Opfer von seiten der Menschen gebracht! Aber ebensowenig konnte man sie so weiterfreveln lassen. Endlich hat Zeus einen Einfall, und er spricht: Mich dünkt, ich habe ein Mittel, daß es die Menschen weiterhin gibt, sie jedoch von ihrer Zügellosigkeit lassen d
müssen, weil sie zu schwach dazu geworden sind. Jetzt will ich nämlich jeden von ihnen mitten entzwei schneiden. Da werden sie schwächer sein und zugleich desto nützlicher für uns, denn an Zahl werden sie ja mehr sein. Fortan sollen sie aufrecht gehen auf zwei Beinen. Sofern wir aber merken sollten, daß sie sich immer noch erfrechen und keine Ruhe halten wollen, so werde ich sie abermals, sprach er, in zwei Hälften schneiden – dann mögen sie wie die Schlauchspringer auf einem Beine hüpfend daherkommen![29] Sprach's und schnitt die Menschen mitten entzwei, wie man Mehlbeeren zum Einmachen oder wie man Eier mit e
einem Haar zerschneidet.

Und jedesmal, wenn er einen zerschnitten hatte, wies er Apollon an, ihm das Gesicht und den halben Hals zur Schnittfläche hin herumzudrehen, auf daß der Mensch, seine Zerschnittenheit vor Augen, sittsamer werde; das übrige hieß er ihn zuheilen. So drehte denn Apollon jedem das Gesicht herum, und er zog von allen Seiten die Haut über der Partie, die jetzt

Bauch heißt, zu einer Öffnung zusammen und band das Ganze wie einen Schnürbeutel mitten auf dem Bauche ab; daraus entstand der sogenannte Nabel.
191 a Dann strich er die meisten anderen Falten glatt und formte dabei die Brust mit einem Werkzeug, wie es die Schuster haben, um damit über dem Leisten die Falten des Leders zu glätten. Nur einige wenige Falten ließ er übrig, eben die um Bauch und Nabel, zur Mahnung an das einst Erlittene.

Da nun das ursprüngliche Wesen entzweigeschnitten war, sehnte sich ein jedes nach seiner anderen Hälfte und suchte sich mit ihr zu vereinigen: sie umarmten einander und umschlangen sich voller Begierde wieder zusammenzuwachsen, und sie starben vor Hunger und
b Vernachlässigung ihrer übrigen Bedürfnisse, denn getrennt voneinander mochten sie nichts tun. Wenn dann eine Hälfte starb und die andere übrig blieb, so suchte sich diese wieder eine andere und umschlang sie, gleichviel ob sie auf die Hälfte eines ursprünglich ganzen Weibes traf – auf das also, was wir jetzt ein Weib nennen – oder auf die eines Mannes. Und so gingen sie zugrunde.

Da erbarmt sich Zeus und ersinnt einen anderen Ausweg: er versetzt ihre Geschlechtsteile nach vorn; denn die hatten sie bis dahin hinten an der früheren Außen-
c seite, und sie zeugten und empfingen nicht ineinander, sondern in der Erde wie die Zikaden.[30] So versetzte er sie nun an ihre Vorderseite und machte damit möglich, daß die Begattung ineinander durch das Männliche im Weiblichen geschah, und zwar zu folgendem Zweck:

Wenn bei der Umarmung ein Mann auf eine Frau träfe, sollten sie zugleich miteinander zeugen und das Geschlecht fortpflanzen. Wenn aber ein Mann auf einen anderen träfe, so sollten sie wenigstens Befriedigung in ihrem Zusammensein finden und dann voneinander lassen, um wieder an ihre Arbeit zu gehen und sich um all das zu kümmern, was sonst noch zum
Leben gehört. Es ist also seit uralter Zeit der Eros d
zueinander den Menschen eingepflanzt; zu ihrem ursprünglichen Wesen führt er sie wieder zurück und sucht aus zweien eins zu machen und die menschliche Natur zu heilen.

XVI. Jeder von uns ist demnach Teilstück[31] eines Menschen, da wir ja zerschnitten sind wie die Schollenfische[32], so daß aus einem zwei geworden sind. Es ist denn auch ein jeder immerfort auf der Suche nach seinem Gegenstück: Alle Männer nun, die ein Schnittstück jenes Ganzen sind, das damals Mannweib hieß, begehren Frauen (und die meisten Ehebrecher stam-
men aus diesem Geschlecht). Ebenso kommen alle e
Frauen, die Männer lieben, (wie auch die Ehebrecherinnen) aus diesem Geschlecht. Alle Frauen hingegen, die Teil einer Urfrau sind, haben überhaupt nichts mit Männern im Sinn, sondern sind vielmehr den Frauen zugewandt; die Lesbierinnen entstammen diesem Geschlecht. Die aber Teilstück eines ursprünglich männlichen Wesens sind, trachten nach dem Männlichen. Die Jungen lieben als Schnittstücke des Manneswesens die Männer und freuen sich, bei Männern zu liegen und
in ihren Armen zu sein. Und es sind dies die besten 192 a

unter den Knaben und Jünglingen, da sie die männlichsten sind von Natur. Freilich behaupten manche, sie seien schamlos. Aber das ist gelogen. Denn nicht aus Schamlosigkeit tun sie das, sondern aus ihrer mutigen und mannhaften, eben männlichen Wesensart heraus, weil sie sich zu dem, was ihnen wesensgleich ist, hingezogen fühlen. Ein schlagender Beweis dafür: nur sie erweisen sich, wenn sie erwachsen sind, als rechte
b Staatsmänner. Sind sie aber zu Männern herangereift, so lieben sie Knaben und Jünglinge; und auf Ehe wie Kindererzeugung richten sie nicht von ihrer Natur her den Sinn, sondern lassen sich nur vom Gesetz dazu zwingen; ihnen wäre es genug, ehelos miteinander zu leben.

So wird denn unbedingt solch ein Mann eines Geliebten oder eines Liebenden Freund und ist stets dem, was ihm verwandt ist, zugetan. Wenn nun der Liebende, der Knabenfreund oder wer sonst, gar seiner eigenen anderen Hälfte begegnet, dann sind beide ganz wun-
c derbar entzückt vor Freundschaft, Vertrautheit und Liebe; kurzum, sie wollen nicht mehr voneinander lassen, auch nicht für einen Augenblick. Solche Liebenden bleiben zeitlebens beieinander; und sie sind es, die nicht einmal zu sagen wüßten, was sie voneinander erwarten. Denn kaum jemand wird meinen, um des gemeinsamen sinnlichen Genusses willen sei der eine mit dem anderen so freudig und mit so großer Leiden-
d schaft zusammen. Offenbar ersehnt doch beider Seele etwas anderes, was sie nicht aussprechen kann – nein, sie erahnt nur, was sie begehrt, und deutet es dunkel an.

Und träte, während sie beisammen liegen, Hephaistos zu ihnen, seine Werkzeuge in der Hand, und fragte: Was ist's, ihr Menschen, was ihr voneinander wollt? Und wenn sie dann verlegen wären und er sie von neuem fragte: Wünscht ihr etwa dies, euch möglichst ganz zu vereinigen, um Tag und Nacht nicht voneinander zu lassen? Solltet ihr das wünschen, so will ich euch in eines zusammenschmelzen und zusammen- e
schweißen, so daß ihr aus zweien einer werdet, und solange ihr lebt, wie ein einziger gemeinsam beide lebt, und wenn ihr sterbt, auch dort im Hades statt zweien einer seid, vereint im Tod. So schaut, ob ihr dies ersehnt und zufrieden seid, wenn euch dies zuteil wird. – Auf dieses Angebot hin würde gewiß kein einziger nein sagen oder einen anderen Wunsch kundtun, vielmehr glaubte wohl ein jeder, er habe genau das vernommen, wonach es ihn schon längst verlangte: vereint und verschmolzen mit dem Geliebten aus zweien eins zu werden. Der Grund dafür ist, daß dies unsere ursprüngliche Natur war: einst waren wir ein Ganzes. So heißt nun das Verlangen und das Streben nach der 193 a
Ganzheit »Eros«.

Und vordem, wie gesagt, waren wir eins; jetzt aber sind wir für unser Unrecht vom Gott auseinandergetrieben, wie die Arkadier von den Spartanern.[33] Daher steht zu befürchten, daß, sollten wir nicht fügsam sein gegenüber den Göttern, wir abermals gespalten werden und dann herumlaufen müssen wie die im Profil dargestellten Relieffiguren auf den Grabsteinen, mit zersägten Nasen, wie halbierte Würfel. Deshalb muß

b jedermann jeden ermahnen, ehrfürchtig gegen die
Götter zu sein, damit wir dies vermeiden und jenes
erlangen, wozu Eros uns Führer und Feldherr ist. Ihm
soll niemand zuwiderhandeln – es handelt aber zuwi-
der, wer sich den Göttern verhaßt macht. Wenn wir
dem Gotte freund und mit ihm versöhnt sind, werden
wir freilich den uns zugehörigen Geliebten finden und
gewinnen, was jetzt nur wenigen gelingt.

Daß es mir aber Eryximachos, um meine Rede ins
Lächerliche zu ziehen, ja nicht so auffaßt, als spielte
c ich etwa auf Pausanias und Agathon an! Möglich, daß
auch sie gerade zu denen gehören und beide von Natur
auf das Männliche ausgerichtet sind; doch ich für mei-
nen Teil spreche ganz allgemein von Männern und
Frauen: unser Geschlecht könnte nur dann glückselig
werden, wenn wir die Liebeserfüllung erlangen und
ein jeder den ihm wesenseigenen Geliebten findet und
so zurückkehrt zu seiner Ursprungsnatur. Ist dies
auch das Allerbeste, so ist unter den gegebenen Um-
ständen notwendig das am besten, was dem am näch-
sten kommt, nämlich: einen Geliebten zu finden, des-
sen Wesen der eigenen Sinnesart entspricht. Preisen
wir den Gott, der dieses wirkt, so preisen wir zu
d Recht wohl Eros, der uns in der Gegenwart die
größte Wohltat spendet, führt er uns doch zum Ur-
eigenen heim, und für die Zukunft zeigt er uns die
größten Hoffnungen, wenn wir uns nur den Göttern
gegenüber fromm erweisen; denn dann versetzt er uns
in unsere Urnatur zurück, und Heilung bringend
macht er uns glücklich, ja glückselig.

Dies, Eryximachos, sagte er, ist meine Rede auf den Eros. Sie ist von anderer Art als die deine. Wie ich dich schon bat: mach dich nicht lustig über sie; wir wollen doch noch hören, was die anderen zu sagen haben, oder e
besser: die beiden letzten, denn nur Agathon und Sokrates sind ja noch übrig.

XVII. Nun gut, ich will mich dir fügen, habe, wie Aristodem berichtete, Eryximachos darauf erwidert. Deine Rede hat mir ja durchaus gefallen. Und wenn ich nicht wüßte, daß Sokrates und Agathon ihre Stärke im Reiche des Eros haben, so müßte ich gar sehr befürchten, sie seien in Verlegenheit wegen ihrer Reden, weil schon so vieles und dabei so Verschiedenartiges vorgetragen wurde; so aber bin ich trotzdem zuversichtlich.

Da sagte Sokrates: Du selbst hast dich ja wacker in 194 a
unserem Wettkampf geschlagen, Eryximachos. Wärst du aber jetzt an meiner Stelle, oder wie ich vielleicht besser gesagt hätte: gar dort, wo ich sein werde, wenn auch noch Agathon gut geredet hat, dann wäre auch dir gewiß gehörig bange, und es würde dir ganz so zumute sein wie derzeit mir.

Du willst mich behexen, Sokrates, habe Agathon eingeworfen, damit ich in Verwirrung gerate bei dem Gedanken, das Publikum hege große Erwartungen, daß ich eine gute Rede halte.

Ich müßte doch recht vergeßlich sein, Agathon, habe Sokrates erwidert, wenn ich, der ich gerade Zeuge b
deiner mannhaften Haltung und deines Selbstbewußtseins war, als du mit deinen Schauspielern die Bühne

bestiegst und ein so gewaltiges Publikum vor dir sahst, dem du ein eigenes Werk vorführen wolltest[34], und das, ohne auch nur im geringsten deine Fassung zu verlieren, – wenn ich jetzt meinte, du gerietest in Verwirrung wegen uns paar Männern.

Was denn, Sokrates, habe Agathon gesagt, du glaubst doch nicht etwa, ich hätte den Kopf so voll vom Theater, daß ich nicht einmal mehr wüßte, wieviel mehr Angst jemand mit Verstand vor einer Handvoll kluger Zuhörer als vor einem noch so großen Haufen dummer Leute hat?

c Es wäre allerdings nicht schön von mir, Agathon, sagte er, wenn ich dir einen solchen Mangel an Weltkenntnis zutrauen würde. Natürlich weiß ich genau: Träfest du mit Männern zusammen, die du für gescheit hältst, dann würdest du mehr auf sie geben als auf die große Menge. Aber eben zu denen, fürchte ich, gehören wir kaum – denn wir waren ja dort ⟨im Theater⟩ auch dabei und gehörten mit zu der Menge! Solltest du aber auf andere wirklich Gescheite treffen, so würdest du dich wahrscheinlich vor ihnen schämen, falls du etwas nach deiner Ansicht Unpassendes tätest. Oder wie siehst du das?

Du hast recht.

Vor der Menge aber würdest du dich über einen Fehl-
d griff nicht schämen?

Da fiel Phaidros ihm ins Wort: Lieber Agathon, wenn du dem Sokrates antwortest, dann wird es ihm ganz gleichgültig sein, wie das alles hier weitergeht, Hauptsache, er hat einen Dialogpartner – zumal einen so

schönen! So gern ich dem Sokrates bei seinen Gesprä-
chen zuhöre, ist es jetzt doch meine Pflicht, mich um
das Lob des Eros zu kümmern und von jedem von euch
eine Rede zu erhalten. Habt ihr beide also dem Gott
eure Schuldigkeit erwiesen, dann mögt ihr ruhig euer
Gespräch so fortführen.
Ja, du hast recht, Phaidros, habe Agathon erwidert, e
und nichts hindert mich daran, die Rede zu halten; zu
Gesprächen mit Sokrates wird sich auch später noch oft
Gelegenheit bieten.
XVIII. Ich will zunächst davon sprechen, *wie* ich zu
reden habe und erst anschließend die Rede halten.
Denn ich finde, alle meine Vorredner haben nicht den
Gott gelobt, sondern die Menschen glücklich gepriesen
ob der Gaben, die sie dem Gotte verdanken. Wie aber
sein Wesen ist, daß er dies alles geschenkt hat, das hat 195 a
keiner gesagt. Es gibt aber nur ein einziges richtiges
Verfahren für *jede* Lobrede, wem sie auch gilt, nämlich
nacheinander das Wesen und die Wirkungen dessen
darzustellen, von dem die Rede handelt. So ist es recht
und billig, daß auch wir den Eros auf diese Weise loben:
zuerst sein Wesen, sodann seine Gaben.
Ich behaupte nun, unter allen glückseligen Göttern ist
Eros (wenn es gestattet und nicht vermessen erscheint,
das zu sagen) der seligste, ist er doch der Schönste und
Beste. Der Schönste aber ist er durch folgende Eigen-
schaften: erstlich ist er der jüngste unter den Göttern,
mein Phaidros. Den schlagenden Beweis für diese Be- b
hauptung liefert er selber: er flieht in flüchtiger Eile das
Alter, das bekanntlich schnell ist, kommt es doch

schneller auf uns zu als es sollte. Das haßt nun Eros von Natur, und nicht einmal von weitem nähert er sich ihm. Mit der Jugend aber ist er ständig zusammen, jung ist er ja selber. Denn es gilt der alte Spruch, daß Gleich zu Gleich sich stets geselle. Ich stimme dem Phaidros sonst in vielem zu, jedoch nicht darin, daß
c Eros älter als Kronos und Japetos sei. Nein, ich behaupte, der jüngste unter den Göttern ist er und ewig jung. Die alten Göttergeschichten[35] aber, die Hesiod und Parmenides erzählen, die ereigneten sich durch Ananke ⟨die Notwendigkeit⟩ und nicht etwa durch Eros – sofern jene überhaupt die Wahrheit sagten. Denn gegenseitige Entmannungen und Fesselungen wären nicht geschehen und auch viele andere Gewalttaten nicht, wenn Eros unter ihnen geweilt hätte; vielmehr hätten Freundschaft und Frieden geherrscht wie jetzt, seitdem Eros König der Götter ist.

Jung ist er also, und nicht nur jung, sondern auch zart.
d Eines Dichters bedarf es, wie Homer einer war, um des Gottes Zartheit vor Augen zu führen. Homer sagt nämlich von Ate, sie sei eine Göttin und zart – ihre Füße wenigstens seien zart – so heißt es bei ihm:

> ». . . ihre Füße sind zart; denn nimmer dem Boden
> Nahet sie, sondern sie wandelt über den Häuptern
> der Männer.«[36]

Mit einem schönen Bild, scheint mir, beweist er so ihre Zartheit, daß sie nicht auf Hartem, sondern auf Wei-
e chem wandelt. Denselben Beweis wollen wir denn auch für die Zartheit des Eros verwenden: nicht auf der

Erde schreitet er und auch nicht über Scheitel hinweg
– die ja nicht weich sind –, sondern im Weichsten, das
es gibt, wandelt und wohnt er: in Gemüt und Seele
von Göttern und Menschen hat er seinen Wohnsitz
genommen, doch keineswegs ohne Unterschied in je-
der Seele. Trifft er eine mit rauhem Gemüt, geht er
fort; in eine mit sanftem Gemüt kehrt er ein. Weil er
nun immer mit seinen Füßen und mit allem anderen
an das Sanfteste des Sanftesten rührt, muß er von zar- 196 a
tester Art sein.

Er ist also der jüngste und zarteste, dazu von geschmei-
diger Gestalt. Denn er könnte sich nicht überall an-
schmiegen und unbemerkt in jede Seele erst eingehen
und sich dann wieder davonstehlen, wenn er ungelenk
wäre. Für seine ebenmäßige und geschmeidige Er-
scheinung haben wir einen überzeugenden Beweis in
seiner Anmut, die ja dem Eros in besonderer Weise
nach Meinung aller zueigen ist. Mißgestalt freilich und
Eros liegen miteinander stets im Krieg. Auf die Schön-
heit seiner Hautfarbe deutet das Leben des Gottes unter
Blumen hin.[37] Im Blütenlosen und Verblühten, sei es b
Leib oder Seele oder was sonst, verweilt Eros nicht;
doch wo immer ein schönblühender und schönduften-
der Ort sich findet, dort weilt er und bleibt er.

XIX. Über die Schönheit des Gottes mag dies genü-
gen, wenngleich noch viel zu sagen bliebe. Über die
Tugend des Eros ist nunmehr zu sprechen. Das Wich-
tigste ist, daß Eros weder Unrecht tut noch leidet,
weder an einem Gott noch von einem Gott, weder an
einem Menschen noch von einem Menschen. Denn

weder leidet er selbst durch Gewalt, falls er überhaupt
c etwas leidet, da Gewalt an Eros nicht rührt, noch tut er gewaltsam, was er tut, da jeder dem Eros in allem freiwillig dient; was man aber willig dem Willigen gewährt, das erklären »des Staates Könige, die Gesetze«[38] für gerecht.

Wie an der Gerechtigkeit hat er auch an der Besonnenheit größten Anteil. Darin sind sich nämlich alle einig: Besonnenheit ist die Beherrschung von Lüsten und Begierden; keine Lust ist aber stärker als Eros. Wenn die anderen also schwächer sind, so werden sie doch wohl von Eros beherrscht, und er ist Herr. Als Herrscher über Lüste und Begierden muß schließlich Eros besonders besonnen sein.

d Und fürwahr an Tapferkeit »hält selbst Ares ihm nicht stand«.[39] Denn es hält nicht Ares Eros, sondern Eros Ares fest in Banden – der Eros zu Aphrodite, wie es heißt. Wer aber jemanden gefangenhält, ist stärker als der Gefangene. Und wer Herr über den Tapfersten ward, der ist doch wohl der Allertapferste.

Gerechtigkeit, Besonnenheit und Tapferkeit des Gottes sind nun besprochen, bleibt noch die Weisheit. Soweit möglich, muß man versuchen, es auch da nicht fehlen zu lassen. Zunächst – damit auch ich unserer Kunst die
e Ehre gebe wie Eryximachos der seinen: als Dichter ist der Gott so weise, daß er auch andere zu Dichtern macht. Wird doch jeder zum Dichter, »auch wenn er fremd den Musen vorher war«[40], sobald ihn Eros anrührt. Dies dürfen wir zum Zeugnis dafür nehmen, daß Eros schöpferisch ist und überhaupt jedem musischen

Schaffen innewohnt; denn was einer nicht hat oder nicht weiß, das kann er auch keinem zweiten geben noch einen anderen lehren. Und gar die Schöpfung der 197 a
Lebewesen insgesamt – wer will da bestreiten, daß eben durch das weise Wirken des Eros alles Lebendige entsteht und wächst? Gilt dies nicht ebenso von der Meisterschaft in den Künsten? Wir wissen doch, daß jeder, der diesen Gott zum Lehrmeister hat, zu Ruhm und Glanz gelangt, während der, den Eros nicht anrührt, im Dunkel bleibt. Fürwahr, die Kunst des Bogenschießens, die Heilkunde und die Seherkunst erfand Apollon, und Lust und Liebe haben ihn dabei geleitet. So ist denn auch er ein Schüler des Eros, wie die Musen b
in der Musenkunst, Hephaistos im Schmieden, Athene im Weben und »Zeus im Lenken der Götter und Menschen«. Daher kam harmonische Ordnung in das Dasein der Götter, seit Eros unter ihnen erschien – als Liebe zur Schönheit natürlich, denn mit dem Häßlichen hat Eros keine Gemeinschaft. Vorher aber geschahen, wie ich schon anfangs sagte, nach der Überlieferung viele Gewalttaten unter den Göttern, weil Ananke Zwingherrin war. Als aber dieser Gott geboren ward, erwuchs aus der Liebe zum Schönen alles Gute für Götter und Menschen.

So glaube ich, Phaidros, daß Eros erstlich selbst der c
Schönste und Beste ist und sodann für die anderen der Spender all dieser Gaben. Es wandelt mich an, auch einmal in Versen zu sprechen: Eros ist es, der da beschert

»Frieden unter den Menschen, dem Meere
heitere Glätte,
Windesstille, Ruhe von Stürmen und Schlummer
im Leide.«

d Er befreit uns von der Fremdheit, er erfüllt uns mit Vertrautheit; Geselligkeit wie diese stiftet er; bei Festen, bei Tänzen, bei Opferfeiern ist er Führer, Milde uns spendend, das Wilde abwendend, Wohlwollen verbreitend, Übelwollen vertreibend, gern bringt er Eintracht, nie bringt er Zwietracht, so gnädig wie freundlich, von den Weisen bewundert, von den Göttern bestaunt, ersehnt von den Unglücklichen, erhascht von den Glücklichen; des Wohllebens, des Behagens, des Schwelgens wie der Anmut, der Sehnsucht, des Verlangens Vater, recht besorgt um die Guten, nicht be-
e sorgt um die Schlechten; in Plagen und Zagen, in Sehnen und Sinnen trefflichster Steuermann, Mitkämpfer zur See wie zu Lande und Retter, aller Götter und Menschen Zier, der schönste und beste Anführer, dem jedermann folgen soll, und jeder lobsinge herrlich dabei und stimme mit ein in sein Lied, mit dem er, wenn er es erklingen läßt, den Sinn aller Götter und Menschen betört.

Diese Rede, sagte er, o Phaidros, sei von mir dem Gotte dargebracht; sie enthält teils Spielerei, teils auch mäßigen Ernst, soweit ich es eben vermag.

198 a XX. Kaum hatte Agathon geendet, da hätten alle Anwesenden, erzählte Aristodem, mit stürmischem Beifall kundgetan, wie würdig seiner selbst und des Gottes

der junge Mann gesprochen habe. Sokrates habe anschließend zu Eryximachos hingeblickt und bemerkt: Was meinst du nun, o Sohn des Akumenos, war meine Furcht vorhin so unbegründet oder habe ich nicht vielmehr seherisch gesprochen, als ich ankündigte, Agathon würde wundervoll reden, ich aber dadurch in Verlegenheit geraten?

Das eine, erwiderte Eryximachos, hast du freilich, meine ich, wie ein Seher vorausgesagt, nämlich daß Agathon gut reden werde; daß du aber in Verlegenheit
kommen könntest, das glaube ich nicht. b

Doch wie, mein Bester, entgegnete Sokrates, sollte ich nicht verlegen sein, ich so gut wie jeder andere, der nach einem so schönen und reichhaltigen Vortrag zu sprechen hat? Zwar war nicht alles gleichermaßen großartig – aber zum Schluß hin, wer wäre da beim Zuhören nicht hingerissen worden von der Schönheit der Worte und Wendungen? Als mir bewußt wurde, daß ich auch nichts annähernd so Schönes würde sagen
können, da wäre ich um ein Haar aus Scheu auf und c
davongelaufen, wenn ich nur irgendwie gekonnt hätte. Denn mich erinnerte die Rede an Gorgias, so daß es mir geradezu erging, wie es Homer beschreibt: ich bekam Angst, Agathon würde zuletzt noch das Haupt des Gorgias, des Redegewaltigen, in seiner Rede gegen die meine schwingen und mich damit zu Stein erstarren und verstummen lassen![41] Und da begriff ich erst, wie töricht es von mir war, daß ich euch zusagte, ich
würde, wenn die Reihe an mir sei, in eurer Runde den d
Eros preisen, und daß ich behauptete, ein Kenner im

Reiche des Eros zu sein – wo ich doch augenscheinlich nichts von der Sache verstehe, ja nicht einmal weiß, auf welche Weise man überhaupt eine Lobrede zu halten hat. Ich glaubte nämlich in meiner Einfalt, man müsse die Wahrheit sagen über den jeweils zu preisenden Gegenstand, und das bilde die Grundlage; dann brauche man nur daraus das Schönste auszuwählen und es in möglichst gefälliger Form darzustellen. Und ich bildete mir schon wer weiß was darauf ein, wie gut ich sprechen würde, in der Meinung, Bescheid zu wissen über die wahre Art des Lobens. Freilich hatte ich da offenbar nicht die richtige Vorstellung von einer Lobrede. Vielmehr kommt es doch wohl darauf an, an dem
e betreffenden Gegenstande alles nur erdenklich Großartige und Schöne zu rühmen, gleichviel ob es zutrifft oder nicht. Sollte es falsch sein, würde es auch nichts ausmachen. Denn offensichtlich hatte man vorher verabredet, jeder von uns solle dem Anschein nach den Eros preisen, müsse dabei aber nicht seinem wirklichen Wesen gerecht werden. Deshalb, meine ich, bietet ihr alles auf, was Wert hat, und weist es dem Eros zu und
199 a erklärt, so sei er und Urheber so vieler Wohltaten, damit er außerordentlich schön und gut erscheine – natürlich bloß den Unkundigen, den Kennern ja wohl kaum. Und herrlich und erhaben nimmt das Lob sich aus! Doch ich kannte diese Art Lob nicht. In Unkenntnis also sagte ich euch zu, gleichfalls eine Lobrede zu halten. »Die Zunge hat's versprochen, nicht das Herz.«[42] Lassen wir es also bleiben! Auf diese Weise will ich nicht noch eine Lobrede mehr halten; ich

könnte es auch gar nicht. Aber die Wahrheit, wenn es b
euch recht ist, die will ich euch sagen, auf meine Art, nicht im Wettstreit mit euren Reden, um mich nicht eurem Gelächter preiszugeben. Sieh nun zu, Phaidros, ob du auch solch eine Rede brauchen kannst, in der du über den Eros wahre Aussagen zu hören bekommst, allerdings in Wortwahl und Satzbau so, wie es sich aus dem Stegreif ergibt.

Da hätten Phaidros und die meisten anderen ihn aufgefordert zu reden, wie er selber glaube es tun zu müssen, so und nicht anders.

Noch etwas, Phaidros, habe Sokrates gesagt; erlaube mir, an Agathon zunächst noch ein paar kleine Fragen zu richten, damit ich erst mit ihm einig werde, bevor ich rede.

Natürlich erlaube ich das, erwiderte Phaidros, frage c
nur.

Daraufhin, erzählte Aristodem, begann Sokrates etwa folgendermaßen:

XXI. Die Einleitung deiner Rede, mein lieber Agathon, fand ich wirklich gelungen: wie du sagtest, man müsse zuerst das Wesen des Eros und dann sein Wirken aufzeigen. Diesen Anfang bewundere ich sehr. Nun, wo du ja die Eigenschaften des Eros sonst so trefflich und prächtig geschildert hast, sage mir über ihn gerade noch dies: Ist Eros so zu verstehen, daß er Liebe von d
jemandem ist[43], oder nicht? Ich meine aber mit meiner Frage nicht, ob er Liebe einer Mutter oder eines Vaters ist (die Frage wäre doch lächerlich, ob Eros Mutter- oder Vaterliebe sei), sondern wie wenn ich in bezug auf

eben diesen Begriff Vater fragte: Ist denn der Vater Vater von irgendjemandem oder nicht? Du würdest sicher sagen, wenn du richtig antworten wolltest: Der Vater ist immer Vater eines Sohnes oder einer Tochter, nicht wahr?

Ja gewiß, erwiderte Agathon.

Und dasselbe gilt von der Mutter?

Auch das bejahte er.

e So gib mir, fuhr Sokrates fort, noch etwas weiter Antwort, damit du besser begreifst, worauf ich hinaus will. Wenn ich fragte: Wie steht es aber mit einem Bruder? Ist er das, was er an sich ist, nämlich Bruder – ist er das von jemandem oder nicht?

Er ist es von jemandem.

Doch wohl von einem Bruder oder einer Schwester?

Ja.

So versuche nun, auch den Eros zu bestimmen. Ist der Eros Liebe zu niemandem und nichts oder zu jemandem und etwas?

Unbedingt zu jemandem und etwas.

200 a Behalte dies Etwas vorläufig noch für dich, sei Sokrates fortgefahren, du hast ja wohl noch im Gedächtnis, worauf sich Eros bezieht.[44] Doch soviel sage mir jetzt: begehrt Eros dasjenige, worauf er sich bezieht, oder nicht?

Ja, auf jeden Fall, habe Agathon geantwortet.

Begehrt und liebt er eben das, was er begehrt und liebt, dann, wenn er es besitzt oder wenn er es nicht besitzt?

Vermutlich, wenn er es nicht besitzt.

Überlege doch, habe Sokrates gesagt, ob es statt »vermutlich« nicht vielmehr notwendig so ist, daß das

Begehrende das begehrt, was ihm fehlt, oder umgekehrt, daß es nicht danach begehrt, wenn es ihm nicht b
fehlt. Mir scheint das erstaunlich zwingend zu sein, Agathon, dir etwa nicht?

Mir ebenso, habe er erwidert.

Schön. Würde sich jemand, der groß ist, wünschen, groß zu sein, oder wer stark ist, stark zu sein?

Das ist unmöglich nach unseren Ergebnissen.

Denn es bedarf doch niemand dessen, was er schon ist.

Das stimmt.

Wenn dennoch ein Starker stark sein wollte, fuhr Sokrates fort, und ein Schneller schnell und ein Gesunder gesund – denn man könnte sich vielleicht in diesen oder ähnlichen Fällen vorstellen, daß wer schon so ist und c
das schon hat, eben das, was er hat, durchaus noch begehrt. Damit uns bloß kein Fehler unterläuft, deshalb führe ich dies näher aus. Wenn du's recht bedenkst, Agathon, ist es doch so: der Betreffende hat notwendig jeweils zum gegenwärtigen Zeitpunkt alle diese Eigenschaften und Dinge, die er hat, ob er sie nun will oder nicht – und wer würde dann noch danach begehren? Sollte trotzdem einer sagen: »Ich bin gesund und will gesund sein, und ich bin reich und will reich sein, und ich begehre eben das, was ich schon habe«, so würden wir ihm wohl erwidern: »Du Mensch, der du d
Reichtum und Gesundheit und Kraft besitzest, willst du dies auch für die Zukunft besitzen? Denn in der Gegenwart hast du es ja, ob du willst oder nicht. Wenn du also erklärst: ich begehre das gegenwärtig Vorhandene, so überlege, ob du damit nicht etwa folgendes

sagen willst: ich wünsche das in der Gegenwart Vorhandene auch in der Zukunft zu haben.« Müßte er da nicht zustimmen?

Agathon bejahte es.

Darauf sagte Sokrates: Heißt das aber nicht: er liebt und begehrt dasjenige, was ihm noch nicht zur Hand ist und was er noch nicht besitzt, wenn er das Gegenwärtige auch für die Zukunft gesichert wissen will?

e Ja, gewiß.

Also begehrt dieser Mensch, wie jeder andere Begehrende auch, das Nichtvorhandene und Nichtgegenwärtige. Und was man nicht hat und was man selbst nicht ist und was einem fehlt – eben darauf sind die Begierde und die Liebe gerichtet.

Ja, sicherlich.

Gut denn, habe Sokrates gesagt, fassen wir die Ergebnisse zusammen: Nicht wahr, Eros ist erstens auf etwas gerichtet, und zweitens richtet er sich auf etwas, was ihm selbst jeweils fehlt.

201 a Das habe er bejaht.

Hierzu erinnere dich an die Aussage in deiner Rede, auf welchen Gegenstand sich Eros richte; oder wenn du willst, kann ich dich daran erinnern. Ich meine nämlich, du sagtest ungefähr folgendes: In das Dasein der Götter sei harmonische Ordnung gekommen durch den Eros zum Schönen; denn zum Häßlichen gebe es keinen Eros. So etwa drücktest du es doch aus?

Ja, das sagte ich, gab Agathon zur Antwort.

Und ganz zutreffend ist deine Aussage, mein Freund, versetzte Sokrates; und wenn dies stimmt, nicht wahr, dann ist doch Eros Liebe zur Schönheit, nicht aber zur Häßlichkeit.

Das bestätigte er.

Nun sind wir aber doch übereingekommen: Was einem b
fehlt und was man nicht besitzt, eben das liebt und begehrt man?

Gewiß.

Dem Eros fehlt also die Schönheit, und er besitzt sie nicht.

Zwangsläufig, habe er erwidert.

Wie? Demnach behauptest du, etwas, dem die Schönheit fehlt und das sie überhaupt nicht besitzt – sei schön?

Keinesfalls.

Bleibst du also noch bei deiner Behauptung, Eros sei schön, wenn sich das so verhält?

Da sagte Agathon: Ich fürchte, Sokrates, ich verstand nichts von alldem, worüber ich vorhin sprach.

Und dabei hast du wahrlich schön geredet, Agathon, c
entgegnete Sokrates. Aber beantworte mir noch eine kleine Frage: meinst du nicht, das Gute sei auch schön?

Doch.

Wenn also dem Eros das Schöne fehlt, das Gute aber schön ist, so fehlt ihm wohl auch das Gute.

Ich kann dir nicht widersprechen, Sokrates; es mag so sein, wie du sagst.

Der Wahrheit kannst du nicht widersprechen, mein lieber Agathon; indes dem Sokrates zu widersprechen, wäre gar nicht schwer.

XXII. Nun will ich dich endlich in Ruhe lassen. Ver- d

nehmt vielmehr die Rede über den Eros, die ich einst von einer Frau aus Mantineia, von Diotima hörte, welche hierin wie in vielem andern weise war – den Athenern hatte sie vormals durch ein Opfer vor Ausbruch der Pest zehn Jahre Aufschub dieser Seuche erwirkt, und sie hat denn auch mich über den Eros belehrt – die Rede also, die sie vortrug, will ich euch wiederzugeben versuchen. Dabei gehe ich von dem aus, worüber ich mich mit Agathon geeinigt habe. Allerdings spreche ich nunmehr auf mich selbst gestellt, so gut ich es vermag.

Es gilt also, Agathon, wie du ja ausgeführt hast, zuerst
e Wesen und Art des Eros, dann sein Wirken zu schildern. Am leichtesten ist es nun, meine ich, wenn ich so vorgehe, wie damals die Fremde mit ihren Fragen es tat. Auch ich sagte nämlich ziemlich dasselbe zu ihr, wie jetzt Agathon zu mir, daß Eros ein großer Gott sei und zu den Schönen gehöre. Da widerlegte sie mich mit denselben Gründen wie ich ihn, daß er meiner eigenen Darlegung zufolge weder schön sein könne noch gut.

Und ich sagte darauf: Wie meinst du das, Diotima? Ist Eros demnach häßlich und schlecht?

Lästere nicht, rief sie. Oder glaubst du, was nicht schön ist, das sei notwendig häßlich?

202 a Ja, freilich.

Und auch, was nicht weise ist, sei deshalb schon töricht? Hast du nicht bemerkt, daß es noch etwas in der Mitte zwischen Weisheit und Unwissenheit gibt?

Was ist das?

Die Meinung, die das Richtige trifft, und zwar ohne es begründen zu können. Weißt du nicht, sagte sie, daß dies weder ein Wissen ist – denn wie könnte etwas, wofür man keine Gründe anzugeben vermag, ein Wissen sein? – noch Unwissenheit – denn wie könnte das, was das Tatsächliche trifft, Unwissenheit sein? – Folglich ist ›die richtige Meinung‹ offenbar so etwas wie ein Mittleres zwischen Einsicht und Unwissenheit.

Du hast recht, sagte ich.

Behaupte also nicht weiter, was nicht schön ist, sei b
notwendig häßlich, und was nicht gut ist, notwendig schlecht.

Und ebenso im Falle des Eros: wenn du selber zugibst, er sei nicht gut und auch nicht schön, so meine deswegen nicht gleich, er müsse häßlich und schlecht sein, halte ihn vielmehr für etwas in der Mitte zwischen beidem.

Und dabei sind sich doch alle darüber einig, warf ich ein, daß er ein großer Gott ist.

Meinst du alle Unwissenden, erwiderte sie, oder auch alle Wissenden?

Alle zusammen!

Da lachte sie und sagte: Aber Sokrates, wie könnte er
denn von denen als großer Gott anerkannt werden, die c
ihn nicht einmal für einen Gott halten?

Wen meinst du damit? fragte ich.

Zum Beispiel dich und mich, gab sie zur Antwort.

Und ich fragte wiederum: Wie soll ich das verstehen?

Ganz einfach, versetzte sie; sag mir nur, hältst du nicht alle Götter für glückselig und schön? Oder würdest du wagen, von einem der Götter zu sagen, er sei nicht schön und glückselig?

Beim Zeus, nein! entgegnete ich.

Glückselig nennst du doch die, die das Gute und das Schöne besitzen?

Ja, natürlich.

d Aber du hast doch zugegeben, daß Eros aus Mangel am Guten und Schönen eben das begehrt, was ihm fehlt.

Ja, das habe ich zugegeben.

Wie könnte der dann ein Gott sein, der am Schönen und Guten nicht teilhat?

Das kann keinesfalls sein, meine ich.

Siehst du nun, sprach sie, auch du hältst Eros nicht für einen Gott.

XXIII. Was, fragte ich, soll Eros dann sein? Etwa ein Sterblicher?

O nein!

Was denn sonst?

Wie schon vorhin gesagt: ein Mittleres zwischen Sterblichem und Unsterblichem.

Ja, aber was, Diotima?

Ein großer Daimon[45], Sokrates, denn alles Dämo-
e nische ist mitten zwischen Gottheit und Mensch.

Welche Wirkungskraft hat es? fragte ich weiter.

Es dolmetscht und überbringt den Göttern, was von den Menschen kommt, und den Menschen, was von den Göttern kommt: von den einen die Gebete und Opfer, von den anderen die Gebote und Gegengaben für die Opfer. Da es in der Mitte zwischen beidem ist, füllt es die Kluft, so daß das All in sich selbst verbunden

ist. Mittels des Dämonischen geht auch alle Weissa-
gung vonstatten und das Wirken der Priester bei den
Opfern und Weihen und Beschwörungen sowie insge- 203 a
samt bei Orakeln und Magie. Denn Gott naht nicht
unmittelbar dem Menschen, sondern durch diese Ver-
mittlung des Dämonischen vollzieht sich aller Um-
gang und alle Zwiesprache der Götter mit den Men-
schen, im Wachen sowohl wie im Traum. Und wer in
diesen Dingen weise ist, der ist ein dämonischer Mann;
wer aber nur sonst in etwas Bescheid weiß, etwa in
einer niederen Kunst oder in einem Handwerk, der ist
ein gewöhnlicher Mann ⟨ein »Banause«⟩. Diese Dai-
monen sind zahlreich und von allerlei Art – einer von
ihnen ist Eros.

Wer ist sein Vater, fragte ich, und wer seine Mutter?

Das ist eine recht lange Geschichte, antwortete sie, b
trotzdem will ich sie dir erzählen: Als Aphrodite gebo-
ren war, da hielten die Götter ein Festmahl, mit ihnen
auch »Wegfinder«, der Klugheit Sohn. Wie nun das
Mahl zuende war, kam, um beim Schmause zu betteln,
die »Armut« und stand an der Tür.

Da ging Wegfinder, trunken vom Nektar – Wein gab's
ja noch nicht – hinaus in den Garten des Zeus und fiel
alsbald in schweren Schlaf. In ihrer Mittel- und Aus-
weglosigkeit kam es nun der Armut in den Sinn, sich
von dem Mann, der Mittel schafft und Wege findet, ein
Kind zeugen zu lassen; so legte sie sich zu ihm und c
empfing den Eros. Deshalb ist ja auch Eros Begleiter
und Knappe der Aphrodite geworden, er, der an ihrem
Geburtsfest gezeugt ward, und zugleich ist er von

Natur ein Liebhaber des Schönen, weil ja auch Aphrodite schön ist.

Als Sohn Wegfinders und der Armut lebt Eros nun auf
solche Weise: erstlich ist er immer arm; und weit davon
entfernt, zart und schön zu sein, wie die meisten Leute
d wähnen, ist er vielmehr rauh und struppig, barfuß und
obdachlos; er lagert immer auf der bloßen Erde ohne
Decke; vor Türen, auf der Straße unter freiem Himmel
nächtigt er; darin hat er die Natur der Mutter, dem
Mangel ist er allzeit zugesellt. Hingegen stellt er nach
Art des Vaters allem Schönen und Guten nach, ist
mannhaft, verwegen und spannkräftig, ein gewaltiger
Jäger und ständiger Ränkeschmied, nach Erkenntnis
begierig, in Mitteln und Wegen ein findiger Kopf,
weisheitsliebend sein Leben lang, dazu ein mächtiger
Zauberer, Hexenmeister und Sophist. Und er ist weder
e wie ein Unsterblicher noch wie ein Sterblicher: bald
blüht er auf und lebt er, sooft er Mittel und Wege
findet, bald stirbt er ab – und dies an ein und demselben
Tag; dann lebt er wieder auf dank der Natur des Vaters;
doch was er gewonnen, ist immer rasch zerronnen. So
ist Eros nie mittellos, aber auch niemals reichlich bemittelt.
Auch zwischen Weisheit und Unwissenheit
204 a hält er die Mitte; denn damit steht es so: Kein Gott ist
weisheitsliebend oder begehrt, weise zu werden – er ist
es ja schon. Und wer sonst weise ist, strebt ebensowenig
nach Weisheit. Andererseits streben auch die Unwissenden
nicht nach Weisheit noch begehren sie,
weise zu werden. Denn das ist ja gerade das Schlimme
an der Unwissenheit, daß man, ohne ein rechter und

verständiger Mensch zu sein, mit sich selbst zufrieden
ist. Und wer da meint, ihm fehle nichts, der begehrt
folglich auch nicht, was er gar nicht zu entbehren
meint.

Aber wer, Diotima, sind denn nun die Weisheitslieben-
den 〈die »Philosophen«〉, fragte ich, wenn es weder die
Weisen noch die Unwissenden sind?

Das sieht doch schon jedes Kind, sprach sie, daß es die b
sind, die eine Mittelstellung zwischen diesen Letztge-
nannten einnehmen; zu ihnen gehört wohl auch Eros.
Denn zum Schönsten zählt Weisheit, und Eros ist Liebe
zum Schönen, so daß Eros weisheitsliebend 〈»Philo-
soph«〉 sein muß; und als solcher steht er in der Mitte
zwischen dem Weisen und dem Unwissenden. Dies ist
ebenfalls ein Erbe seiner Eltern: er stammt ja von einem
weisen Vater, der Mittel und Wege weiß, aber von
einer unweisen Mutter, die mittellos und ohne Ausweg
ist. Dies ist also das Wesen des Daimons, lieber Sokra-
tes. Daß du dir aber Eros so ganz anders vorstelltest, c
ist keineswegs verwunderlich. Du glaubtest offenbar,
wenn ich deine Worte recht verstehe, das Geliebte sei
Eros, nicht das Liebende. Daher, meine ich, erschien dir
Eros so wunderschön. Denn das Liebenswerte ist ja
wirklich das Schöne, Zarte, Vollendete und Glückse-
lige; das Liebende aber hat eine andere Gestalt – so, wie
ich sie beschrieb.

XXIV. Und ich sagte: Es sei dem so, fremde Frau, du
hast ganz recht. Wenn dies aber das Wesen des Eros ist,
welchen Nutzen bringt er dann den Menschen?

Ich will versuchen, Sokrates, erwiderte sie, dir jetzt d

auch das darzutun. Wir sprachen über Wesen und Geburt des Eros, und er ist, wie du sagst, auf das Schöne bezogen. Wenn uns aber jemand fragte: Was bedeutet denn ›Liebe zum Schönen‹, Sokrates und Diotima? Oder noch deutlicher: Der Liebende begehrt das Schöne; wozu begehrt er es?

Und ich gab zur Antwort: Daß es ihm zuteil werde.

Diese Antwort, fuhr sie fort, fordert die weitere Frage: Was wird einer davon haben, daß ihm das Schöne zuteil wird?

Da erklärte ich, auf diese Frage keine rechte Antwort mehr zur Hand zu haben.

e Nun, sagte sie, wenn man zum Beispiel an die Stelle des Schönen das Gute setzte und dann die Frage stellte: Nimm an, Sokrates, der Liebende begehrt das Gute; wozu begehrt er es?

Daß es ihm zuteil werde, erwiderte ich.

Und was wird einer davon haben, daß ihm das Gute zuteil wird?

Darauf kann ich leichter antworten: Er wird glücklich sein.

205 a Ja, sprach sie, durch den Besitz des Guten sind die Glücklichen glücklich; und man braucht nicht mehr weiter zu fragen: Zu welchem Zweck will man glücklich sein. Das Fragen ist hier offenbar am Ziel angelangt.

Das ist wahr, versetzte ich.

Glaubst du, daß dieser Wille und dieser Eros allen Menschen gemeinsam ist, und daß alle das Gute immer besitzen wollen? Oder wie meinst du?

Ja, das meine ich, bestätigte ich, daß er allen gemeinsam ist.
Wieso sagen wir dann nicht von allen, Sokrates, fuhr sie fort, daß sie lieben, wenn doch alle dasselbe begeh- b
ren, und zwar allezeit, sondern sprechen nur einigen den Eros zu, anderen nicht?
Darüber wundere ich mich selbst, sagte ich.
Nein, wundere dich nicht, entgegnete sie; wir nehmen nämlich nur eine bestimmte Art von Eros heraus und nennen sie ›Eros‹, indem wir ihr den Begriff für das Ganze zuweisen, für die übrigen Arten aber verwenden wir andere Bezeichnungen.
Wie zum Beispiel? fragte ich.
Wie im folgenden Fall: du weißt doch, daß Schaffen ⟨»Poesis«⟩[46] vielerlei bedeutet; denn gelangt etwas aus dem Nichtsein zum Sein, so liegt dem allemal ein c
Schaffen zugrunde, so daß eigentlich auch die Erzeugnisse aller Künste und Handwerke mit dem Wort »Poesie« und ihre Meister alle als »Poeten« zu bezeichnen wären.
Das stimmt.
Und doch weißt du, fuhr sie fort, daß man sie nicht Dichter nennt, sondern daß sie andere Bezeichnungen haben. Aus dem Gesamtbegriff Schaffen ⟨»Poesis«⟩ hat man nämlich den einen Teil ausgesondert, der mit dem Musischen und den Versmaßen zu tun hat, und den bezeichnet man mit dem Wort für das Ganze. Das allein heißt »Poesie«, und nur wer sich auf diesem Teilgebiet des Schaffens betätigt, der heißt »Poet«.
Du hast recht.

d So steht es nun auch mit dem Eros. Dem Gesamtbegriff
nach ist jedwedes Streben nach Gütern und Glück Eros,
der »größte und listenreichste« für jedermann. Doch
wenn sich ihm jemand sonst auf diese oder jene Weise
zuwendet, im Gelderwerb oder in der Gymnastik oder
in der Philosophie, dann heißt es nicht: er liebt oder ist
ein Liebender. Wer aber auf eine ganz bestimmte Art
verfährt und dabei voller Eifer ist, auf den wendet man
das Wort für das Ganze an: da spricht man von Liebe,
Lieben und von Liebenden.

Das ist wohl richtig, sagte ich.

Es geht nun zwar die Rede, sprach sie weiter, daß
e diejenigen lieben, die ihre eigene Hälfte suchen. Meine
Lehre aber lautet, daß Eros weder auf ein Halbes aus ist
noch auf ein Ganzes, es sei denn gerade ein Gutes, mein
Freund. Lassen sich doch die Menschen sogar ihre
eigenen Füße und Hände abhauen, wenn ihre eigenen
Gliedmaßen ihnen von Übel zu sein scheinen. Nicht
am Eigenen, meine ich, hängt ein jeder, er nenne denn
das Gute sich zugehörig und sein Eigen und das
206 a Schlechte sich fremd. Nichts anderes nämlich lieben
die Menschen als das Gute. Oder bist du anderer Ansicht?

Nein, beim Zeus!

Können wir nun so einfach sagen, daß die Menschen das Gute lieben?

Ja, antwortete ich.

So? Müssen wir nicht hinzusetzen, sagte sie, daß sie das Gute sich anzueignen begehren?

Ja, allerdings.

Und zwar nicht nur es sich anzueignen, sondern es auch für immer zu eigen zu haben?

Auch das müssen wir hinzusetzen.

Fassen wir also zusammen: Eros ist der Drang, das Gute für immer zu eigen zu haben.

Du hast vollkommen recht, sagte ich.

XXV. Wenn nun der Eros immer auf dieses Ziel ge- b
richtet ist, sprach sie, wie muß einer es dann verfolgen und was muß er tun, daß sein Eifer und seine Anspannung Eros genannt werden könnte? Was für ein Tätigsein ist das? Kannst du das sagen?

Dann würde ich dich, Diotima, entgegnete ich, nicht wegen deiner Weisheit bewundern und nicht zu dir kommen, um gerade dieses zu lernen.

So will ich es dir sagen: Es ist ein Zeugen im Schönen, in und mit dem Leibe wie der Seele.

Der Sehergabe bedarf es, um zu deuten, was du sprichst, und ich fasse es nicht.

So will ich es deutlicher erklären. Alle Menschen, So- c
krates, tragen Samen in sich, im Leib und in der Seele; und wenn sie in ein bestimmtes Alter kommen, begehrt unsere Natur zu erzeugen.[47] Sie vermag jedoch nicht im Häßlichen, sondern nur im Schönen zu zeugen – die Vereinigung von Mann und Frau ist ja Zeugung. Etwas Göttliches aber, das heißt im sterblichen Wesen das Unsterbliche ist es, Samen in sich zu tragen, zu zeugen und zu gebären. Im Unharmonischen kann
dies unmöglich geschehen. Es harmoniert jedoch das d
Häßliche nie mit dem Göttlichen, während das Schöne mit ihm harmoniert. So ist die Schönheit Schicksals-

göttin und Geburtshelferin für alles Erzeugen und
Werden. Naht daher das vom Samen Trächtige dem
Schönen, wird es heiter und zerfließt in Lust und zeugt
und bringt Frucht. Naht es hingegen dem Häßlichen,
so zieht es sich verdrossen und betrübt in sich zurück,
wendet sich ab, schrumpft zusammen und zeugt nicht,
sondern hält seine Fülle bei sich und trägt sie als
schwere Last. Darum gerät ja, was drängend schon
schwillt, in heftige Erregung beim Anblick des Schö-
e nen, weil dies den, der es ergreift, von großen Wehen
erlöst. Denn Eros ist nicht, wie du glaubst, Sokrates,
die Liebe zum Schönen.

Aber was dann?

Der Liebes*drang* ist er vielmehr zum Zeugen und Hervorbringen im Schönen.

So mag es sein, sagte ich.

Ja gewiß, versetzte sie. Und warum zum Zeugen? Weil
die Zeugung das Ewige und Unsterbliche ist für ein
sterbliches Wesen, soweit das überhaupt sein kann. Der
207 a Drang zur Unsterblichkeit ist aber notwendig mit dem
zum Guten verbunden, wenn wirklich, wie wir ja
feststellten, das Streben des Eros dahin geht, das Gute
auf immer zu eigen zu haben. Notwendig folgt hier-
aus, daß Eros auch nach Unsterblichkeit strebt.

XXVI. Dies alles lehrte sie mich, sooft sie über den
Eros sprach, und so fragte sie auch einmal: Was hältst
du, Sokrates, für die Ursache dieser Liebe und dieser
Begierde? Bemerkst du nicht, wie stark erregt alle
Tiere sind, immer wenn ihr Zeugungstrieb erwacht,
b und zwar alles, was da kreucht und fleugt, wie sie ins-

gesamt krank vor Liebe sind, zunächst um einander zu begatten; dann bei der Aufzucht der Jungen: wie da auch die Schwächsten bereit sind, für sie mit den Stärksten zu kämpfen und für sie zu sterben; wie sie sich selber von Hunger auszehren lassen, um jene großzufüttern, und auch sonst alles tun. Bei den Menschen könnte man ja meinen, sie handelten aus Überlegung so: aber was ist bei den Tieren der c
Grund, daß die Liebe sie so mächtig treibt? Kannst du mir das sagen?

Und ich gestand wieder, das wisse ich nicht. Sie aber fuhr fort: Denkst du denn, du würdest je ein Kenner im Reiche des Eros, wenn du dies nicht begreifst?

Aber deswegen, Diotima – eben sagte ich es schon – bin ich ja zu dir gekommen: weil ich erkannte, daß ich der Lehrer bedarf. So nenne mir auch den Grund hierfür, wie für alles andere in der Liebeskunde.

Wenn du nun überzeugt bist, sprach sie, daß Eros sich seinem Wesen nach auf das richtet, worüber wir uns wiederholt geeinigt haben, so wundere dich weiter nicht. Denn hier wie dort sucht die sterbliche Natur d
nach Möglichkeit ewig und unsterblich zu sein. Sie vermag das aber allein auf diese Weise: durch die Fortpflanzung, indem sie jeweils ein entsprechendes Junges anstelle des Alten hinterläßt. So bezeichnet man doch auch jedes einzelne Lebewesen während seiner Lebenszeit als ein und dasselbe, wie ja ein Mensch von Kindheit an bis ins Greisenalter als ein und dieselbe Person angesprochen wird, obwohl er niemals dieselben Bestandteile in sich hat, vielmehr sich ständig erneuert

und Altes dafür verliert, an Haaren, Fleisch, Knochen,
e Blut und so am ganzen Körper.

Und das gilt nicht bloß für den Körper, sondern auch
für die Seele: Gesinnungen, Gewohnheiten, Meinun-
gen, Begierden, Freuden, Schmerzen, Ängste – all das
bleibt sich bei einem Menschen nie gleich, sondern das
eine entsteht, das andere vergeht. Noch viel merkwür-
208 a diger ist es indes mit unseren Kenntnissen: nicht nur,
daß auch sie teils entstehen, teils vergehen und wir
demnach nicht einmal an Kenntnissen je dieselben sind,
sondern es geschieht sogar dasselbe mit jeder einzel-
nen Kenntnis. Denn die sogenannten Wiederholungs-
übungen gibt es, weil die Kenntnis schwinden kann;
Vergessen ist nämlich Kenntnisschwund. Die Wieder-
holungsübung hingegen setzt wieder eine neue Erin-
nerung an die Stelle der entweichenden alten und er-
hält die Kenntnis, so daß der Eindruck entsteht, es sei
dieselbe.

Auf diese Weise erhält sich alles Sterbliche, nicht da-
durch, daß es immer vollkommen ein und dasselbe
b bleibt wie das Göttliche, sondern indem das Verge-
hende und Alternde ein entsprechendes Junges, so wie
es selbst war, hinterläßt. Durch dieses Mittel, Sokrates,
hat Sterbliches an der Unsterblichkeit teil, der Leib
ebenso wie alles andere; beim Unsterblichen aber ge-
schieht das auf andere Art. Wundere dich also nicht,
wenn jedes Wesen seinen Abkömmling aus natürli-
chem Triebe werthält: um der Unsterblichkeit willen
ist jedem dieser Drang und dieser Eros mitgegeben.

XXVII. Und ich hörte diese Rede mit Staunen und

fragte: Wohl denn, weiseste Diotima, ist das wirklich wahr?

Da sprach sie nach der Art der vollendeten Weisheits- c
lehrer: Verlaß dich darauf, Sokrates. Denn auch wenn du dir die Ehrliebe der Menschen vor Augen führen willst, müßtest du dich über ihre Unvernunft wundern, sofern du nicht meine Worte im Sinn hast; bedenke nur, wie gewaltig Eros sie drängt, berühmt zu werden »und sich unsterblichen Ruhm für ewige Zeit zu erringen«. Und dafür sind sie bereit, noch eher als
für ihre Kinder allen Gefahren zu trotzen, ihr Vermö- d
gen aufzuwenden, jede Mühe zu ertragen, ja sogar hierfür zu sterben. Meinst du denn, Alkestis wäre für Admetos in den Tod gegangen oder Achilleus wäre dem Patroklos in den Tod gefolgt oder euer Kodros hätte für die Herrschaft seiner Söhne vorzeitig den Tod erlitten, hätten sie nicht an ein unsterbliches Gedenken ihrer Heldentat geglaubt, wie wir es jetzt ja auch bewahren? Nein, sicher nicht! Ich bin vielmehr überzeugt, für eine unsterbliche Heldentat und solch ruhm-
reiches Andenken tun alle alles – je edler sie sind desto e
eher. Denn dem Unsterblichen gilt ihr Eros.

Die nun vom körperlichen Zeugungstrieb erfüllt sind, wenden sich mehr den Frauen zu und sind auf diese Art dem Eros ergeben, wobei sie meinen, durch Kinderzeugen Unsterblichkeit und Andenken und Glückseligkeit »sich zu verschaffen für alle zukünftige Zeit«.

Anders die den geistigen Trieb in sich haben – denn es 209 a
gibt Menschen, die in der Seele noch stärker als im

Körper den Drang fühlen, das zu zeugen, womit schwanger zu sein und was zu gebären einer Seele gemäß ist. Was hervorzubringen ist aber dem Geist und der Seele gemäß? Vernünftige Einsicht und jedwede Tugend und schöpferische Leistung; deren Urheber sind ja die Dichter allesamt und unter den Künstlern wie Handwerkern all die, die man als erfinderisch ansieht. Doch die bei weitem bedeutendste und wertvollste Vernunftbegabung gilt der Organisation des Staats- wie des Hauswesens: dafür haben wir ja die Begriffe maßhaltende Besonnenheit und Gerechtig-
b keit. Wer nun die Samen dieser Tugenden von Kindheit an als ein Mensch von göttlicher Art in der Seele trägt und wer, wenn die Zeit seiner Reife kommt, zu zeugen und fruchtbar zu werden begehrt, der geht umher und sucht, so meine ich, das Schöne, in dem er zeugen könnte; denn im Häßlichen wird er nie zeugen. An einem schönen Leib freut er sich mehr als an einem häßlichen in seinem Zeugungsdrang, und trifft er noch dazu auf eine schöne und edle und von Natur wohlgeartete Seele, so fühlt er sich mächtig hingezogen zu beidem. Einem solchen Menschen gegenüber wird er sofort von Worten überströmen über Tugend und dar-
c über, wie der rechte Mann sein und was er betreiben soll, und er versucht ihn zu bilden. Denn ich glaube, wenn er den Schönen berührt und mit ihm verkehrt, so zeugt und gebiert seine Seele, womit sie schon lange schwanger ging. Ob er bei dem Freund oder fern von ihm ist, er denkt daran und zieht das Erzeugte gemeinsam mit ihm auf; und so hat solch ein Paar eine viel

engere Gemeinschaft und festere Freundschaft mitein-
ander als sie bei leiblichen Kindern bestünde, da es ja
auch schönere und in höherem Maße unsterbliche
»Kinder« gemeinsam besitzt. Jeder möchte doch wohl
lieber solche Kinder haben als leibliche, wenn er auf d
Homer und Hesiod schaut und die anderen trefflichen
Dichter und sie darum beneidet, daß sie solche »Nach-
kommen« hinterließen, die, selbst unvergänglich, ihnen
unsterblichen Ruhm und ewiges Andenken bringen.

Oder wenn du willst, sagte sie weiter, »Kinder«, wie sie
Lykurg in Sparta hinterließ – als Retter für Sparta, ja
sozusagen für ganz Hellas! In Ehren steht bei euch auch
Solon wegen der Schaffung eurer Gesetze, und andere
Männer vielerorts bei Hellenen und Barbaren, die viele e
schöne Werke ans Licht gefördert und mancherlei Aus-
gezeichnetes hervorgebracht haben. Ihnen hat man
schon zahlreiche Kultstätten wegen solcher »Kinder«
errichtet, wegen leiblicher Kinder aber noch keinem.

XXVIII. Soweit magst auch du, Sokrates, in die My- 210 a
sterien des Eros eingeweiht werden. Doch es reichen
vielleicht deine Kräfte nicht für die letzten Weihen und
die höchste Schau, wohin auch unser Weg führt, wenn
wir ihn recht beschreiten. Gleichwohl will ich davon
künden und an gutem Willen nichts fehlen lassen.
Versuche du zu folgen, so gut du kannst.

Wer den rechten Weg zu diesem Ziele gehn will, hub
sie an, muß in seiner Jugend damit beginnen, sich den
schönen Leibern zuzuwenden; und zwar soll er, wenn
sein Führer ihn richtig leitet, zuerst an einem einzelnen
die Leibesschönheit lieben und dabei schöne Gedanken

hervorbringen; dann aber begreifen, daß die Schönheit
b am einen Leib der am andern Leib verschwistert ist,
und daß, wenn es um das Schöne an einer Gestalt geht,
es große Torheit wäre, die Schönheit an allen Leibern
nicht für ein und dieselbe zu halten; hat er dies einge-
sehn, so wird er Leibesschönheit an allen Schönen
lieben, in seiner heftigen Leidenschaft für einen einzel-
nen aber nachlassen, weil er ihm nun nicht mehr viel
bedeutet.

Danach wird er die Seelenschönheit höher schätzen als
die des Leibes, so daß es ihm genug ist, wenn jemand
eine wohlgeartete Seele hat, sollte sein Äußeres auch
c wenig anziehend sein; er wird ihn dennoch lieben und
umsorgen, und er wird solche Gedanken mit ihm zeu-
gen, die junge Menschen besser machen können, und
⟨stets aufs neue⟩ danach suchen. Dadurch fühlt er sich
veranlaßt, auch in den Handlungen, sowie in Sitten
und Gesetzen das Schöne zu schauen und so wahrzu-
nehmen, daß alle Schönheit miteinander verwandt ist:
damit er die körperliche als etwas Geringes erkenne.

Von den Handlungen muß man ihn zu den Erkenntnis-
sen führen, damit er auch deren Schönheit sieht und,
d nun schon im Anblick der Fülle des Schönen, nicht
mehr der Einzelschönheit sklavisch dient, indem er sein
Genügen an der Schönheit eines unreifen Knaben oder
irgendeines Menschen oder einer einzigen Tätigkeit
findet und dadurch minderwertig und kleinlich wird –
nein! dem weiten Meer des Schönen sei er zugewandt
und verharre in dessen Betrachtung; viele schöne und
erhabene Reden wird er dann hervorbringen und Ge-

danken in unerschöpflichem Streben nach Weisheit, bis
er, hierin gekräftigt und gereift, *eine* Erkenntnis er-
schaut, die Erkenntnis des Schönen.
Und dieses ist von folgender Art – versuche nun, e
sprach sie, mir mit der höchsten dir möglichen Geistes-
kraft zu folgen.
XXIX. Wer bis hierher in der Liebeskunde geführt
ward und nun in der rechten Folge und Form jedwedes
Schöne betrachtet, der wird, endlich am Ziel auf dem
Weg der Liebe, plötzlich ein Schönes von wunderba-
rem Wesen erblicken – eben jenes, o Sokrates, dem
auch all die früheren Mühen galten. Es ist erstlich ein
immer Seiendes, und weder entsteht noch vergeht es, 211 a
weder nimmt es zu noch nimmt es ab; sodann ist es
nicht teilweise schön, teilweise häßlich, auch nicht bald
schön, bald häßlich, auch nicht in einer Beziehung
schön, in anderer Beziehung häßlich, auch nicht hier
schön, dort häßlich, als ob es für manche schön, für
manche häßlich wäre; ebensowenig wird dem Be-
trachter das Schöne etwa wie ein Antlitz erscheinen
oder wie Hände oder sonst etwas Körperliches, auch
nicht als irgendein Begriff oder irgendein Wissen noch
als etwas, das irgendwo an etwas anderem ist, sei es an
einem Lebewesen auf der Erde oder am Himmel oder b
sonstwo; sondern jenes Schöne wird ihm erscheinen als
es selbst an sich selbst mit sich selbst von *einer* Art ewig
seiend; indes alles andere, was schön ist, daran in ir-
gendeiner Weise teilhat, und zwar so, daß, auch wenn
dieses andere entsteht und vergeht, jenes Urschöne
selbst weder mehr noch weniger wird und überhaupt

unverändert bleibt. Wenn also jemand von den Erscheinungen der Sinnenwelt durch die rechte Art der Knabenliebe emporsteigt und jenes Schöne zu schauen beginnt, dann berührt er wohl fast schon das Ziel.
c Denn dies ist der rechte Weg, zur Sphäre des Eros zu gelangen oder sich von einem anderen dahin leiten zu lassen: daß man, bei dem vielerlei Schönen hier beginnend, um jenes Schönen willen immer weiter emporsteigt wie auf Stufen – von einem schönen Leib zu zweien und von zweien zur Leibesschönheit allgemein, und von den schönen Leibern zu den schönen Handlungen, und von den Handlungen zu den schönen Erkenntnissen, bis man von den Erkenntnissen endlich zu jener Erkenntnis gelangt, die keine andere ist als die Erkenntnis jenes Schönen selbst, und man am Ende
d gewahr werde, was das Schöne an sich ist.

An diesem Punkt des Lebens, lieber Sokrates, sprach die Fremde aus Mantineia, lohnt sich, wenn überhaupt irgendwo, das Dasein für den Menschen: im Schauen des Schönen an sich. Hast du dieses einmal gesehen, dann wähnst du nicht mehr, es sei etwas wie Goldgerät und Gewänder oder die schönen Knaben und Jünglinge, bei deren Anblick du jetzt außer dir gerätst und wie so viele andere bereit bist, vor lauter Anschauen des Geliebten und im steten Zusammensein mit ihm womöglich Essen und Trinken zu vergessen, um ihn nur immer zu betrachten und mit ihm vereint zu sein. Was erst söllen wir uns vorstellen, sprach sie, wenn es
e gelänge, das Schöne an sich zu schauen: sonnenklar, rein, unvermischt – ohne menschliche Körperlichkeit

und Farben und all den übrigen irdischen Tand, wenn man also das Göttlich-Schöne an sich als das Eine Urbildhafte zu erschauen vermöchte? Glaubst du, fuhr
sie fort, ein nichtiges Leben sei noch möglich für einen 212 a
Menschen, der dorthin blickt und jenes Göttlich-Schöne mit dem dafür nötigen ⟨Auge des Geistes⟩ betrachtet und sich mit ihm eins weiß? Oder denkst du nicht, sprach sie, daß allein wer das Schöne mit *dem* Auge sieht, mit dem es zu sehen ist, nicht Schattenbilder der Vollkommenheit entwirft – weil er ja nicht ein Schattenbild ins Auge faßt – sondern wahre Vollkommenheit zum Vorschein bringt, da er ja das Wahre erfaßt; und daß, wenn er wahre Vollkommenheit hervorgebracht und herangebildet hat, es ihm beschieden sei, gottgeliebt und – so dies einem Menschen je zuteil wird – gar unsterblich zu sein.

Das war es, mein Phaidros und ihr anderen, was Dio- b
tima sagte, und mich hat sie überzeugt. Und weil ich überzeugt bin, versuche ich auch die anderen zu überzeugen, daß man, um dieses Gut zu gewinnen, nicht leicht für die menschliche Natur einen besseren Helfer fände als Eros. Darum, erkläre ich, soll jedermann den Eros ehren, und ich selbst halte alles »Erotische« in Ehren, und mit Vorliebe übe ich mich darin und ermuntere die anderen dazu; jetzt und allzeit preise ich die männliche Kraft des Eros, so viel ich es vermag.

Diese Rede, Phaidros, laß als Lob auf Eros gelten, wenn c
du willst; sonst nenne sie – was und wie es dir beliebt.

XXX. Da Sokrates so gesprochen, hätten ihn ⟨nach Aristodems Bericht⟩ alle gelobt. Nur Aristophanes

habe versucht, etwas zu entgegnen, weil Sokrates in
seinem Vortrag auf die von ihm gehaltene Rede ange-
spielt habe.[48]

Da wurde plötzlich mit großem Lärm an das Hoftor
geklopft, wie von nachtschwärmenden Zechern, und
man hörte eine Flötenspielerin blasen. Agathon rief
d darauf den Dienern zu: Wollt ihr nicht nachsehn? Ist es
ein guter Bekannter, so ladet ihn ein; sonst sagt, daß
wir nicht mehr am Trinken sind, sondern gerade auf-
hören.

Bald danach vernahmen sie die Stimme des Alkibiades
im Hof. Der war schwer berauscht und laut schreiend
fragte er, wo Agathon sei, und wollte zu ihm geführt
werden. Da führten ihn die Flötenspielerin, die ihn
stützte, und einige andere von dem Gefolge zu ihnen
e herein. Er trat unter die Tür, bekränzt mit einem
dichten Kranz von Efeu und Veilchen[49], und mit vie-
len festlichen Bändern auf dem Haupt, und sagte:

Ihr Männer, seid gegrüßt! Nehmt ihr einen schwerbe-
trunkenen Mann noch als Zechgenossen bei euch auf,
oder sollen wir wieder abziehen, nachdem wir nur
gerade den Agathon bekränzt haben? Denn eben dazu
sind wir hergezogen. Ich war nämlich, fuhr er fort,
gestern nicht in der Lage zu kommen, jetzt aber bin ich
hier mit Bändern auf dem Haupt, um sie von meinem
Haupte weg um das Haupt des Weisesten und Schön-
sten zu winden – als solchen rufe ich ihn aus zu seiner
Ehrung! Lacht ihr mich aus, weil ich betrunken bin?
213 a Wenn ihr auch lacht, ich weiß doch genau, daß ich
recht habe. Aber antwortet mir auf der Stelle: Darf ich

unter den Bedingungen eintreten oder nicht? Zecht ihr mit? Ja oder nein?

Da hätten ihm alle zugejubelt und ihn aufgefordert einzutreten und sich niederzulegen, und Agathon habe ihn eingeladen. So trat er ein, geführt von seinen Leuten. Weil er gleich die Bänder ringsum abnahm, um Agathon damit zu umwinden, und sie gerade vor seinen Augen hatte, sah er den Sokrates nicht; er setzte
sich neben Agathon, in die Mitte zwischen ihn und b
Sokrates; denn Sokrates war zur Seite gerückt, um ihm Platz zu machen. Sobald Alkibiades neben Agathon saß, umarmte er ihn und legte ihm die Bänder um.

Darauf Agathon: He, ihr Diener, bindet dem Alkibiades die Sandalen los, er soll sich hier niederlegen, dann sind wir zu dritt.

Also gut, sagte Alkibiades, aber wer ist denn hier unser dritter Zechgenosse? Dabei drehte er sich um, und da sah er Sokrates. Kaum hatte er ihn erblickt, sprang er auf und rief:

O Herakles! Was! Sokrates hier? Liegst du auch hier
schon wieder auf der Lauer nach mir, wie du gern c
plötzlich da auftauchst, wo ich dich am wenigsten vermute. Warum bist du jetzt da? Warum hast du dich gerade hierher gelegt? Wieso denn nicht zu Aristophanes oder wer sonst ein Spaßmacher ist oder sein will? Nein, du hast es fertiggebracht, beim Schönsten in dieser Runde zu liegen!

Da sagte Sokrates zu Agathon: Sieh, ob du mir helfen kannst! Denn die Liebe dieses Menschen ist mir zu einer
lästigen Sache geworden. Seit der Zeit, da ich ihn zu d

lieben begann, darf ich keinen einzigen Schönen mehr anschauen oder mich mit ihm unterhalten; sonst stellt der da aus Eifersucht und Neid die wunderlichsten Dinge an, läßt Schimpfworte auf mich los und wird beinahe handgreiflich. Gib also acht, daß er nicht auch jetzt etwas anstellt! Versöhne uns vielmehr oder, falls er gewalttätig werden sollte, so steh mir bei! Denn vor der Tollheit und Liebeswut dieses Mannes ist mir mächtig bange.

Nein, entgegnete Alkibiades, zwischen mir und dir gibt es keine Versöhnung. Doch hierfür sollst du mir
e ein andermal büßen. Jetzt aber gib du mir, Agathon, einen Teil der Bänder zurück, damit ich auch dieses Mannes wunderbares Haupt umwinde. Er soll mir nicht vorwerfen, dich hätte ich bekränzt, ihn aber, der mit seinen Reden über alle Menschen siegt – nicht bloß vorgestern einmal wie du, sondern allezeit – ihn hätte ich nicht bekränzt.

Sogleich nahm er einige von den Bändern, schmückte Sokrates damit und legte sich dann hin.

XXXI. Als er lag, habe er gesagt: Nun, ihr Männer, ihr kommt mir noch so nüchtern vor! Das darf man euch nicht durchgehen lassen, nein! ihr müßt trinken! So haben wir's doch ausgemacht. Zum Zechmeister beim Trinkgelage wähle ich, bis ihr genug getrunken habt – mich selbst! Agathon soll einen großen Becher bringen lassen, wenn einer da ist. Doch nein! nicht nötig! He Bursche, rief er, bring den Weinkühler dort her! – Sein Blick war nämlich auf solch ein Gefäß gefallen, das
214 a mehr als zwei Liter faßte.[50] Als man es gefüllt hatte,

trank er es zuerst selber aus; dann ließ er es für Sokrates vollschenken und sagte dabei: Bei Sokrates, ihr Freunde, nützt mir das Kunststück nichts; denn wieviel man ihm auch zumutet, soviel trinkt er aus und bekommt trotzdem nie einen Rausch!

Der Diener schenkte also ein und Sokrates trank.

Da habe Eryximachos gefragt: Wie halten wir's nun, Alkibiades? So, daß wir beim Bechern gar nichts reden b
oder singen, sondern einfach nur trinken, als ob es gegen den Durst sei?

Alkibiades habe daraufhin ausgerufen: O Eryximachos, trefflichster Sohn des trefflichsten Vaters – und des gemäßigsten! Sei mir gegrüßt!

Du mir auch, habe Eryximachos erwidert, doch wie wollen wir's halten?

Ganz wie du befiehlst; denn dir muß man gehorchen:

»Ist doch ein einziger Arzt so viel wert wie
ein Haufe von andren.«[51]

Schreib uns also vor, was du willst.

So höre denn, sagte Eryximachos, wir hatten, bevor du hereinkamst, ausgemacht, jeder solle rechtsherum der Reihe nach eine Preisrede auf Eros halten, so schön er c
kann. Wir andern haben nun alle bereits gesprochen; nur du hast noch nicht geredet und hast schon ausgetrunken: darum bist du dran mit einer Rede; und wenn du fertig bist, magst du dem Sokrates eine beliebige Aufgabe stellen und dieser dann seinem rechten Nachbarn und so fort.

Was du da sagst, Eryximachos, ist zwar schön und gut,

entgegnete Alkibiades, aber einen betrunkenen Mann
gegen die Reden von Nüchternen antreten zu lassen,
das gäbe, fürchte ich, einen ungleichen Wettkampf.
Und außerdem, Wertester, glaubst du denn irgendet-
d was von dem, was Sokrates eben gesagt hat? Weißt du
nicht, daß von allen seinen Aussagen gerade das Gegen-
teil gilt? Vielmehr wird er, wenn ich in seinem Beisein
einen anderen lobe als ihn, sei's Gott oder Mensch,
nicht an sich halten und handgreiflich gegen mich
werden.

Hüte deine Zunge! rief da Sokrates.

Beim Poseidon! gab Alkibiades zurück, widersprich dem nicht; ich werde doch nie und nimmer einen anderen loben, wenn du dabei bist.

Dann mach es nur so, sagte Eryximachos, wenn du Lust hast; halte eine Lobrede auf Sokrates!

e Wie, fragte Alkibiades, meinst du, das soll ich, Eryxi-
machos? Mich über den Mann hermachen und mich
vor euren Augen an ihm rächen?

He du, warf Sokrates ein, was hast du im Sinn? Willst du mich lächerlich machen mit deinem Lob? Oder was hast du sonst vor?

Die Wahrheit will ich sagen. Sieh, ob du das zuläßt.

Aber gewiß, erwiderte er, die Wahrheit zu sagen lasse ich zu, ja, ich verlange es sogar.

So will ich gleich beginnen, habe Alkibiades versetzt,
und du mache folgendes: Sollte ich etwas Unwahres
sagen, so unterbrich mich bitte mittendrin und erkläre,
215 a daß ich Falsches behaupte; denn mit Absicht lügen
werde ich nicht. Wenn ich freilich so, wie die Dinge

mir gerade einfallen, vom einen aufs andere zu sprechen komme, so nimm daran keinen Anstoß; denn in meinem Zustand ist es nicht gerade leicht, dein wunderliches Wesen eingängig und schön der Reihe nach darzustellen.

XXXII. Den Sokrates, ihr Freunde, will ich so zu preisen suchen, daß ich in Gleichnissen rede. Er wird nun vielleicht meinen, es sei mehr um zu scherzen, doch das Gleichnis zielt auf die Wahrheit, nicht auf den Scherz. Ich behaupte nämlich, er ist ganz und gar den
Silenen vergleichbar, die in den Bildhauerwerkstätten b
ausgestellt sind – wie die Künstler sie mit Hirtenpfeifen oder Flöten in den Händen schnitzen; klappt man sie auseinander, so kommen innen Götterbilder zum Vorschein.

Weiter behaupte ich: er gleicht dem Satyr Marsyas. Daß du den Satyrn in deinem Aussehn ähnlich bist, Sokrates, wirst du wohl selbst kaum bestreiten. Wie du ihnen aber auch sonst gleichst, sollst du nun hören: Du bist ein übermütiger Spötter! Oder nicht? Gibst du es nicht zu, so bringe ich Zeugen. Und bist du etwa kein Flötenspieler? – Viel wunderbarer bist du es noch als
Marsyas! Der bezauberte durch sein Instrument die c
Menschen mit der von seinem Munde ausgehenden Gewalt; und so wirkt auch jetzt noch jeder, der seine Weisen spielt. Denn was Olympos auf der Flöte blies, stammt, meine ich, von Marsyas, der es ihn lehrte. Mag seine Weisen nun ein guter Flötenspieler blasen oder eine armselige Flötenspielerin, sie allein ergreifen uns und, da sie göttlich sind, tun sie uns kund, wen es nach

Göttern und Weihen verlangt. Du aber unterscheidest
dich von ihm nur darin, daß du ohne Instrument mit
d bloßen Worten ebendieselbe Wirkung hervorrufst.
Uns jedenfalls geht es so: Wenn wir von irgendeinem
anderen, sei er auch ein noch so guter Rhetor, Reden
hören, so berührt das, offengestanden, niemanden.
Wenn man aber dir zuhört oder einem andern, der
deine Reden wiedergibt, sei der Sprechende auch noch
so unbedeutend, und gleichgültig ob Weib, Mann oder
Kind lauscht – da sind wir erschüttert und gebannt.
Ich würde euch, Freunde, müßte ich euch dann nicht
völlig berauscht vorkommen, unter Eid erzählen, was
ich selbst unter dem Eindruck seiner Worte erlebt habe
e und jetzt immer noch erlebe. Denn wenn ich ihn höre,
springt mir das Herz heftiger als den korybantischen
Tänzern, Tränen fließen bei seinen Worten, und ich
sehe, daß es sehr vielen anderen ebenso ergeht. Sooft
ich dagegen den Perikles hörte und andere große Red-
ner, dachte ich wohl, sie sprächen gut, aber so etwas
erlebte ich nie; auch wurde meine Seele nie verwirrt
und unwillig, denn ich fühlte mich nicht wie ein
Knecht unter fremder Gewalt. Doch durch den hier,
216 a diesen Marsyas, geriet ich schon oft dahin, daß mir
war, als ließe es sich nicht weiter so leben, wenn es mit
einem stünde wie mit mir. Und du wirst nicht behaup-
ten, Sokrates, dies sei nicht wahr. Ja, auch jetzt noch,
das weiß ich genau, könnte ich ihm nicht standhalten,
sofern ich ihm Gehör schenken wollte, sondern ich
würde wieder das Gleiche erleben. Denn er zwingt
mich einzugestehen, daß ich trotz so vieler eigener

Mängel mich selber vernachlässige und stattdessen die Politik der Athener betreibe! Darum reiße ich mich gewaltsam von ihm los und ergreife die Flucht wie vor den Sirenen mit zugehaltenen Ohren, um nur nicht hier bei ihm sitzen zu bleiben und zum Greis darüber zu werden. Vor diesem Menschen allein ist mir etwas b
widerfahren, was wohl niemand bei mir für möglich hält: daß ich mich vor jemandem schäme. Vor ihm allein schäme ich mich. Denn ich bin mir bewußt, daß ich zwar tun müßte, was er fordert, und daß ich ihm darin nicht widersprechen kann; daß ich dann aber doch, sobald ich fort von ihm bin, vor dem Volk meinem Ehrgeiz erliege. So laufe ich vor ihm davon und meide ihn, und jedesmal, wenn ich ihn sehe, schäme ich mich dessen, was ich ihm zugestehen mußte. Ja, oft würde ich es gern sehen, wenn er nicht c
mehr unter den Menschen weilte. Doch weiß ich genau: Sollte dies wirklich geschehen, so trüge ich noch viel schwerer daran. So bin ich ratlos, was ich anfangen soll mit diesem Menschen.

XXXIII. Mit seinen Flötenweisen hat er also mir und vielen anderen auf solche Art mitgespielt, dieser Satyr. Hört aber weiter von mir, wie ähnlich er den Silenen ist, mit welchen ich ihn auch noch verglich, und was für eine wunderbare Kraft er hat. Denn wisset wohl, keiner von euch kennt ihn. Ich aber will sein Wesen d
enthüllen, da ich nun einmal damit begonnen habe. Ihr seht ja, daß Sokrates in die schönen jungen Männer verliebt ist und daß er stets in ihrer Gesellschaft und von ihnen hingerissen ist; doch dann wieder weiß und

versteht er von alledem nichts – so jedenfalls gibt er sich
den Anschein. Ist das nicht silenenhaft? Ich dächte,
durchaus. So hat er sich nämlich nach außen verhüllt,
wie der geschnitzte Silen. Doch drinnen! Öffnet man
ihn, was glaubt ihr, Zechgenossen, in welchem Maße
er Besonnenheit in sich birgt! Ihr sollt wissen, daß es
gar keinen Eindruck auf ihn macht, ob einer schön ist
e – im Gegenteil, er schätzt das so gering, wie es wohl
niemand für möglich hält – oder ob einer reich ist oder
sonst einen der Vorzüge besitzt, welche die Menge
preist. In seinen Augen sind all diese Güter nichts wert,
und auch wir gelten mit alledem bei ihm nichts – das
sage ich euch. Er aber verstellt sich und treibt sein
»ironisches« Spiel das ganze Leben hindurch mit den
Menschen. Doch wenn er ernst macht und sich öffnet
– ob da wohl schon einer die Götterbilder in seinem
Innern geschaut hat? Ich erblickte sie schon einmal, und
217 a sie erschienen mir so göttlich und golden, so herrlich
schön und wunderbar, daß ich glaubte, einfach alles
tun zu müssen, was Sokrates verlangte.

Da ich meinte, er habe es ernstlich auf meine Jugend-
schönheit abgesehen, sah ich darin ein Göttergeschenk
und einen einzigartigen Glücksfall für mich: Wenn ich
mich dem Sokrates hingäbe, würde es mir, so dachte
ich, vergönnt sein, alles von ihm zu hören, was er
wisse. Denn ich bildete mir ja auf meine Schönheit
wunder was ein. Das erwog ich nun, und während es
bis dahin nicht üblich war, daß ich ohne Diener allein
b mit ihm zusammenkam, schickte ich damals den Die-
ner weg und blieb mit ihm allein. – Ich muß euch doch

die ganze Wahrheit erzählen; drum gebt acht, und falls
ich Falsches behaupte, Sokrates, erhebe Einspruch. –
Ich war also mit ihm ganz allein, ihr Freunde, und
erwartete, er würde auf der Stelle zu mir sprechen, wie
wohl ein Liebender zu seinem Liebling spricht, wenn
sie für sich sind, und ich freute mich schon. Aber nein!
Nichts derartiges geschah, sondern wie gewöhnlich
unterhielt er sich mit mir den Tag über und ging dann
heim. Darauf forderte ich ihn zu gemeinsamen Leibes- c
übungen auf und übte mit ihm zusammen in der An-
nahme, damit ein Stück weiter zu kommen. Er machte
also mit mir seine Übungen und rang öfters mit mir,
ohne daß jemand zugegen war – und was muß ich es
noch sagen: es kam dabei kein bißchen mehr für mich
heraus. Als ich auf diese Weise nun überhaupt nichts
ausrichtete, dachte ich, ich müsse dem Mann mit stär-
keren Mitteln zusetzen; aufgeben wollte ich nicht,
nachdem ich es einmal in die Hand genommen hatte,
vielmehr endlich wissen, woran ich sei.

Ich lade ihn also zum Essen zu mir ein – geradeso, wie
ein Liebhaber seinem Liebling nachstellt! Nicht einmal
das sagte er mir sofort zu; immerhin ließ er sich mit der d
Zeit überreden. Als er das erste Mal kam, wollte er
nach dem Essen gleich wieder aufbrechen, und aus
lauter Scham ließ ich ihn da noch fort. Doch das
nächste Mal stellte ich es schlauer an: Nachdem er
fertig gegessen hatte, redete ich weiter und weiter mit
ihm bis tief in die Nacht, und als er gehen wollte,
brauchte ich den Vorwand, es sei schon spät, und nö-
tigte ihn zu bleiben. Da ruhte er auf der Liege neben

der meinen, auf der er auch gespeist hatte; und nie-
e mand sonst schlief im Raum als wir zwei.

So weit darf man die Geschichte wohl ohne Bedenken vor jedermann erzählen. Was aber nun folgt, das würdet ihr nicht von mir vernehmen, wenn nicht erstens nach dem Sprichwort »aus Wein und Kindermund die Wahrheit spräche« – sie tut es auch aus Wein ohne Kindermund.[52] Und zweitens scheint es mir unrecht, eine erhabene Handlung des Sokrates im Dunkel zu lassen, wo ich doch nun einmal daran gegangen bin, eine Lobrede auf ihn zu halten. Zudem ergeht es mir wie einem, der von der Natter gebissen wurde. Die Leute sagen nämlich, wer das erlitten habe, der wolle niemandem berichten, wie das war, außer denen, die selbst schon gebissen wurden; die allein würden verste-
218 a hen und verzeihen, daß er so ungehemmt alles mögliche tun und reden konnte in seiner Qual. Ich bin nun von etwas gebissen, was noch größere Schmerzen macht und da, wo ein Biß am schmerzhaftesten ist – im Herzen nämlich oder in der Seele (oder wie man das nennen soll) bin ich getroffen und gebissen von den Worten der Philosophie; die beißen sich wilder fest als eine Natter, wenn sie die Seele eines gutbegabten jungen Menschen packen, und sie bringen ihn dazu, wer weiß was alles zu tun und zu reden. Da sehe ich nun
b Männer vor mir wie Phaidros, Agathon, Eryximachos, Pausanias, Aristodemos und Aristophanes; was brauche ich den Sokrates selbst zu nennen und noch die andern? Alle habt ihr doch das miteinander gemein: die Besessenheit und bacchantische Begeisterung durch die

Philosophie! Deshalb dürft ihr alle es hören. Denn ihr werdet Verständnis haben für das, was damals geschah und was jetzt zur Sprache kommt. Ihr aber, Diener, und wer sonst ohne Weihen und Bildung ist: Verriegelt ganz fest eure Ohren!

XXXIV. Als nun, ihr Freunde, die Lampe verloschen und die Diener draußen waren, dachte ich, ich sollte c
keine weiteren Umschweife mehr vor ihm machen, sondern frei heraussagen, was ich im Sinn hatte. So stieß ich ihn an und fragte: Sokrates, schläfst du?

O nein, gab er zur Antwort.

Weißt du, was ich möchte?

Was denn, fragte er.

Du bist, will mir scheinen, der einzige Liebhaber, der meiner wert ist, und es kommt mir vor, als scheutest du dich, zu mir darüber zu sprechen. Ich aber stehe so dazu: Ganz töricht fände ich es, wenn ich dir hierin nicht gefällig wäre, ebenso wie in allem, was du sonst etwa von meinem Besitz oder vonseiten meiner d
Freunde brauchen könntest. Mir ist nämlich nichts wichtiger, als so vollkommen wie möglich zu werden, und dazu, glaube ich, gibt es für mich keinen geeigneteren Helfer als dich. Wäre ich einem solchen Manne *nicht* gefällig, so müßte ich mich weit mehr vor den Gescheiten schämen, als im Falle daß ich's wäre, vor der blöden Masse.

Darauf sagte er ganz ironisch, so recht in seiner gewohnten Art: Mein lieber Alkibiades, du scheinst in der Tat kein Dummkopf zu sein, wenn denn das wahr wäre, was du über mich sagst, und in mir eine Kraft ist, e

durch die du besser werden könntest. Da mußt du ja eine unwiderstehliche Schönheit in mir sehen, welche die Wohlgestalt, die an dir reizt, bei weitem übertrifft. Wenn du also auf sie ein Auge wirfst und mit mir gemeinsame Sache zu machen und Schönheit gegen Schönheit zu tauschen versuchst, so gedenkst du mich nicht wenig zu übervorteilen; du versuchst doch, für den bloßen Schein des Schönen sein wahres Wesen zu
219 a erwerben und denkst in der Tat »Gold gegen Erz«[53] einzuwechseln. Aber mein Bester, sieh doch genauer hin: Vielleicht hat es gar nichts mit mir auf sich, und du merkst es nur nicht. Der Blick des Geistes beginnt ja erst dann scharf zu sehen, wenn derjenige der Augen an Sehkraft verliert. Aber davon bist du noch weit entfernt.

Und ich entgegnete darauf: Ich für meinen Teil sehe es so; und nichts davon ist anders gesagt als ich es meine. Überlege du dir aber nun selbst, was du für dich und mich als das Beste ansiehst.

Ja, erwiderte er, da hast du recht; in Zukunft wollen
b wir immer überlegen und dann tun, was uns hierin wie in allem übrigen am besten erscheint.

Nach seinen Worten und meinen eigenen, die ich wie Pfeile abgeschossen hatte, glaubte ich ihn verwundet. So stand ich auf und ließ ihn nicht weiter zu Worte kommen, deckte ihn mit meinem Oberkleid zu – denn es war Winter – und legte mich mit unter seinen abgetragenen Mantel, schlang die Arme um diesen
c wahrhaft dämonischen und wunderbaren Mann und lag so die ganze Nacht. Und auch hier, Sokrates, wirst

du nicht behaupten können, daß ich die Unwahrheit
sage. Aber als ich das getan hatte, zeigte dieser Mann
sich mir so überlegen und verachtete und verlachte
meine Jugendschönheit und spottete meiner – und
gerade auf sie hatte ich mir doch so viel eingebildet, ihr
Richter; denn Richter seid ihr über des Sokrates Hoch-
mut. So wißt denn, bei Göttern und Göttinnen! Nicht
anders stand ich vom Schlaf mit Sokrates auf, als wenn d
ich bei meinem Vater oder älteren Bruder geruht hätte.
XXXV. Und nachher – was meint ihr, wie mir da
zumute war? Ich fühlte mich entehrt und mußte doch
sein Wesen, seine mannhafte Selbstbeherrschung be-
wundern. Einem Menschen war ich begegnet mit sol-
cher Vernunft und Charakterstärke, wie ich es nie
erwartet hätte. So brachte ich es weder über mich, ihm
zu zürnen und mich seines Umgangs zu berauben,
noch sah ich Mittel und Wege, ihn an mich zu ziehen. e
Denn ich wußte genau, daß er gegen Geld sogar noch
mehr gefeit war als Ajas gegen Eisen; und aus der
einzigen Schlinge, in der ich ihn zu fangen hoffte, war
er mir entwischt. Da wußte ich nicht aus noch ein;
geknechtet fühlte ich mich in der Gewalt dieses Men-
schen, wie niemand je in der eines andern war, und so
lief ich umher.

Dies alles hatte ich bereits erlebt – und dann machten
wir später gemeinsam den Feldzug gegen Poteidaia mit
und waren dort Tischgenossen. Da war er nun erstens
im Ertragen von Strapazen nicht nur mir, sondern auch
allen anderen überlegen. Sooft wir, wie es ja auf einem
Feldzug vorkommt, irgendwo abgeschnitten waren

220 a und hungern mußten, waren die anderen nichts im
Vergleich mit ihm, sobald es durchzuhalten galt. Hat-
ten wir hingegen einmal etwas zum Schmausen, war
niemand so genußfähig wie er, besonders wenn er
entgegen seiner Neigung zum Trinken genötigt
wurde: darin war er von keinem zu schlagen; und was
das Allererstaunlichste ist: kein Mensch hat Sokrates
jemals betrunken gesehen. Dafür, glaube ich, wird er
auch hier sogleich den Beweis liefern! Weiterhin hielt
er in einem erstaunlichen Maße die Winterskälte aus,
b denn dort gibt es strenge Winter. Besonders einmal,
bei schneidendem Frost, als alle anderen sich entweder
gar nicht hinaustrauten oder, wenn es doch einer
wagte, dann wunder wie dick vermummt mit Schu-
hen an den Füßen, die Beine mit Filz und Schafspelz
umwickelt – da ging er unter ihnen hinaus in einem
Mantel, wie er ihn auch sonst zu tragen pflegte, und
barfuß schritt er leichter über das Eis als die anderen in
c ihren Schuhen. Die Soldaten aber blickten ihn scheel
an, ob er sich etwa über sie lustig machen wolle.

XXXVI. Soweit also diese Geschichte; »doch wie der
standhafte Mann auch jenes vollbracht und ertragen«[54]
dort einst auf dem Feldzug, das lohnt sich zu hören. In
Gedanken versunken stand er nämlich ⟨einmal⟩ auf
ein und demselben Fleck vom frühen Morgen an und
überlegte etwas; als es damit nicht recht vorangehen
wollte, ließ er nicht locker, sondern blieb nachsinnend
stehen. Schon war es Mittag, und die Leute wurden
aufmerksam und wunderten sich, und einer sagte zum
andern, daß Sokrates seit dem Morgen dastehe und

über etwas nachdenke. Schließlich, als es schon Abend
war, trugen einige von den Ioniern nach dem Essen
ihre Strohsäcke nach draußen – es war damals Som- d
mer – um in der Kühle zu schlafen und zugleich zu
beobachten, ob er auch die Nacht über da stehen blei-
ben würde. Und er blieb wirklich stehen, bis der Mor-
gen graute und die Sonne aufging. Dann betete er zur
Sonne und ging fort.

Wollt ihr hören, wie er in den Schlachten war? Auch in
dieser Hinsicht ist ihm das gebührende Lob zu zollen.
Denn während der Schlacht, für die mir die Feldherrn
den Ehrenpreis gaben, hat mich kein anderer gerettet
als er. Ich war verwundet – er wollte mich nicht im e
Stich lassen, sondern brachte meine Waffen und mich
selbst in Sicherheit. Und ich, Sokrates, forderte damals
die Feldherrn auf, sie sollten dir den Ehrenpreis geben.
Auch hierin wirst du mich weder zurechtweisen noch
sagen können, daß ich lüge. Als aber die Feldherrn mit
Rücksicht auf meinen Rang mir den Preis geben woll-
ten, warst du selbst noch eifriger als die Feldherrn da-
für, daß ich ihn bekäme und nicht du.

Und erst recht, Freunde, hättet ihr den Sokrates sehen
sollen, als das Heer auf der Flucht von Delion abzog. 221 a
Ich war nämlich als Reiter dabei und er als Schwerbe-
waffneter. Er ging zurück, nachdem die Leute schon
zersprengt waren, und mit ihm Laches. Und ich stoße
auf sie, und kaum habe ich sie gesehen, rufe ich ihnen
zu, sie sollten guten Mutes sein, ich würde sie nicht im
Stich lassen. Da konnte ich den Sokrates noch besser
beobachten als bei Poteidaia – denn ich selber war

weniger in Furcht, weil ich zu Pferde saß: zuerst, wie
b sehr er den Laches an gefaßter Haltung übertraf; so-
dann schien er mir ganz nach deinem Vers, Aristopha-
nes, dort genau wie auch hier »einherstolzierend die
Blicke dabei nach allen Seiten zu werfen«.[55] So gelassen
musterte er Freund und Feind, daß es jedem schon von
ferne klar war, der Mann werde sich recht kräftig
wehren, falls ihm einer zu nahe kommen sollte. Des-
halb kam er auch ungeschoren davon samt seinem
Kameraden. Denn im allgemeinen rührt man solche
Kerle im Krieg so leicht nicht an, vielmehr verfolgt
c man die, welche Hals über Kopf fliehn.

Noch weiter gäbe es viel Bewundernswertes an Sokra-
tes zu rühmen. Doch was er sonst noch geleistet hat, das
könnte man so oder ähnlich vielleicht auch von einem
anderen berichten; daß er aber in seiner Eigenart mit
keinem anderen Menschen vergleichbar ist, weder in
der Vergangenheit noch in der Gegenwart, das ist allen
Erstaunens wert! Mit Achilleus ließe sich nämlich Bra-
sidas und manch einer sonst vergleichen, und anderseits
d mit Perikles Nestor, Antenor und noch weitere, ebenso
fänden sich wohl auch Vergleiche für alle übrigen. So
aber, wie dieser Mensch ist mit der ganzen Seltsam-
keit in seinem Wesen und in seinen Reden – da würde
man bei allem Suchen keinen zweiten finden, der ihm
auch nur annähernd ähnlich wäre, weder in der Ge-
genwart noch in der Vergangenheit; es sei denn, man
vergleicht ihn, wie ich sage, nicht mit einem Men-
schen, sondern mit den Silenen und Satyrn, ihn selbst
und seine Reden.

XXXVII. Das habe ich nämlich am Anfang ausgelas-
sen, daß auch seine Reden den aufklappbaren Silenen e
ganz ähnlich sind. Denn wenn jemand die Reden des
Sokrates anhören will, mögen sie ihm zunächst recht
lächerlich vorkommen: in solche Wörter und Wen-
dungen hüllen sie sich äußerlich ein, wie in das Fell
eines schelmischen Satyrs. Spricht er doch von Pack-
eseln, von Schmieden und Schustern und Gerbern, und
immer scheint er mit denselben Worten dasselbe zu
sagen, so daß wohl jeder unerfahrene und unverstän-
dige Mensch über seine Reden lacht. 222 a

Wer sie aber geöffnet sieht und in ihr Inneres dringt,
der wird zum einen finden, daß von allen Reden sie
allein Geist enthalten, zum andern, daß sie ganz gött-
lich sind und gar viele Götterbilder der Vollkommen-
heit in sich bergen und das meiste, ja alles umfassen,
worauf der schauen muß, der vortrefflich werden will.
Das ist es, ihr Freunde, was ich zum Lob des Sokrates
zu sagen habe. Auch meinen Tadel habe ich beige-
mischt und euch erzählt, wie er mich mit seinem
Hochmut kränkte. Und wahrlich nicht nur mir hat er b
das angetan, sondern ebenso dem Charmides, Glau-
kons Sohn, und dem Euthydemos, dem Sohn des Dio-
kles, und zahlreichen anderen, mit denen er sein täu-
schendes Spiel treibt, als sei er der Liebende, um dann
doch selbst der Geliebte statt des Liebenden zu werden.
Dies sage ich auch dir, Agathon, damit du dich nicht
von ihm täuschen läßt, sondern durch unsere Erfahrun-
gen gewitzt, auf der Hut bist und nicht nach dem
Sprichwort »wie ein Tor durch Schaden klug« wirst!

c XXXVIII. Als Alkibiades geendet, habe es ein Gelächter über seine Offenherzigkeit gegeben, weil er immer noch in Sokrates verliebt schien. Sokrates sagte darauf: Du scheinst mir nüchtern zu sein, Alkibiades; sonst hättest du kaum so fein um die Sache herumgeredet und mit deinem Wortschwall den Zweck, zu dem du das alles vorgebracht hast, zu verstecken gesucht und wie eine Nebensache ans Ende dieser Rede gesetzt; als hättest du nicht alles bloß zu dem Zwecke gesagt, mich
d und Agathon zu entzweien, weil du meinst, ich dürfe nur dich lieben und sonst niemanden, und Agathon dürfe nur von dir geliebt werden, sonst aber von niemandem! Doch hast du das nicht verbergen können, vielmehr ist dein Satyr- und Silenenspiel an den Tag gekommen. Aber, mein lieber Agathon, er soll keinen Vorteil davon haben: sorge dafür, daß mich und dich niemand entzweit!

e Da sagte Agathon: Wirklich, Sokrates, du mußt recht haben. Ich schließe das auch daraus, daß er sich mitten zwischen dir und mir niedergelassen hat, um uns voneinander zu trennen. Das wird ihm aber nichts nützen; ich komme und lege mich neben dich.

Ja gut, gab Sokrates zurück, leg dich hier zu meiner Rechten nieder.

O Zeus! rief Alkibiades, was muß ich mir wieder von diesem Menschen gefallen lassen! Er meint, er müsse mich bei jeder Gelegenheit ausstechen. So laß doch wenigstens, du wunderlicher Mann, Agathon in der Mitte zwischen uns Platz nehmen!

Nein, das geht unmöglich, versetzte Sokrates, denn du

hast die Lobrede auf mich gehalten, somit muß ich
wiederum meinen Nachbarn zur Rechten loben. Wenn
nun Agathon links von dir zu liegen kommt, so wird
er mich doch nicht etwa noch einmal loben wollen,
statt vielmehr selbst von mir gelobt zu werden! Also
laß gut sein, du Maßloser, mißgönne doch dem jungen 223 a
Manne nicht mein Lob; ich brenne nämlich darauf, ihn
zu preisen!

Bravo, bravo! rief Agathon aus. Alkibiades, ich kann
keinesfalls hier bleiben, sondern muß unbedingt den
Platz wechseln, auf daß ich von Sokrates gelobt werde!

Da haben wir wieder die alte Geschichte, bemerkte
Alkibiades, wenn Sokrates dabei ist, ist es unmöglich,
daß ein anderer etwas von den Schönen hat. Wie
geschickt fand er auch jetzt wieder einen überzeu-
genden Grund, daß der da gerade bei ihm liegen muß!

XXXIX. So stand Agathon auf, um sich neben Sokra- b
tes niederzulassen. Da kam plötzlich ein großer
Schwarm nächtlicher Zecher an das Tor, und als sie es
offen fanden, weil eben jemand hinausging, zogen sie
geradewegs zu ihnen herein und legten sich dazu; alles
war voll Lärm, und ohne jede Ordnung wurden sie
genötigt, sehr viel Wein zu trinken.

Eryximachos, Phaidros und einige andere, so erzählte
Aristodemos, seien nun aufgebrochen. Ihn selbst habe
der Schlaf übermannt, und er habe ausgiebig ge- c
schlummert, weil ja die Nächte damals gerade lang
waren; gegen Tagesanbruch, als schon die Hähne kräh-
ten, sei er aufgewacht; da habe er gesehen, daß die
anderen schliefen oder fort waren und nur Agathon,

Aristophanes und Sokrates noch wach waren und aus
einer großen Schale rechtsherum tranken. Sokrates
habe mit ihnen ein Gespräch geführt. Worüber sie im
d übrigen gesprochen hätten, daran, erklärte Aristode-
mos, könne er sich nicht mehr erinnern; denn er sei
nicht von Anfang an dabei gewesen und sei überdies
zwischendurch eingenickt. In der Hauptsache aber,
sagte er, habe Sokrates sie dahin gebracht, zuzugeste-
hen, daß ein und derselbe Mann fähig sein sollte,
Komödien und Tragödien zu schreiben, und daß ein
Tragödiendichter, der seine Kunst beherrsche, eben-
falls Komödiendichter sein könne. Dies hätten sie zu-
geben müssen. Aber sie seien nicht mehr so recht ge-
folgt und eingenickt. Zuerst sei Aristophanes einge-
schlafen, schließlich, als es schon tagte, auch Agathon.
Als Sokrates die beiden nun so in den Schlaf geredet
hatte, sei er aufgestanden und weggegangen; er selbst
habe ihn wie gewöhnlich begleitet.

Sokrates ging ins Lykeion, badete und brachte wie sonst den Tag zu. Dann begab er sich gegen Abend heim zur Ruhe.

EROS UND TRINKGELAGE AUF GRIECHISCHEN VASENBILDERN

1. Eros mit Lyra auf dem Stamnos des Hermonax.
Um 465-460 v. Chr. München, Museum antiker Kleinkunst.

2. *Eros auf dem Stamnos des Hermonax.*
Um 465-460 v. Chr. München, Museum antiker Kleinkunst.

3. Schwebender Eros mit Blume.
Innenbild einer Schale. Um 530-520 v. Chr.
Florenz, Museo Archeologico Etrusco.

4. Eros mit Schmuckbinde.
Auf einer Hydria des Berliner Malers.
Um 490-480 v. Chr. Madrid, Museo Arqueológico Nacional.

5. »Blonder Eros«. Lekythos des Pan-Malers.
Um 470 v. Chr. Schloß Fasanerie, Adolphseck bei Fulda.

6. Herakles im Olymp beim Mahle, mit Trinkbecher in der Hand. Links Athene. Rotfiguriges Bild der Amphora des Andokides-Malers. Um 525 v. Chr. München, Museum antiker Kleinkunst.

7. Mundschenk (?). Attische rotfigurige Schale. Um 500 v. Chr. Florenz, Museo Archeologico.

8. *Symposion. Zecher mit Trinkschalen. Schale des Duris. 490-480 v. Chr. London, British Museum.*

9. Zechender im Gespräch, der in der Linken eine Trinkschale hält.
Bild von einer attisch-rotfigurigen Trinkschale des Malers Makron. Um 490 v. Chr.
Würzburg, Martin-von-Wagner-Museum.

10. *Gelage mit Musik. Schale des Brygos-Malers. 485-480 v. Chr. London, British Museum.*

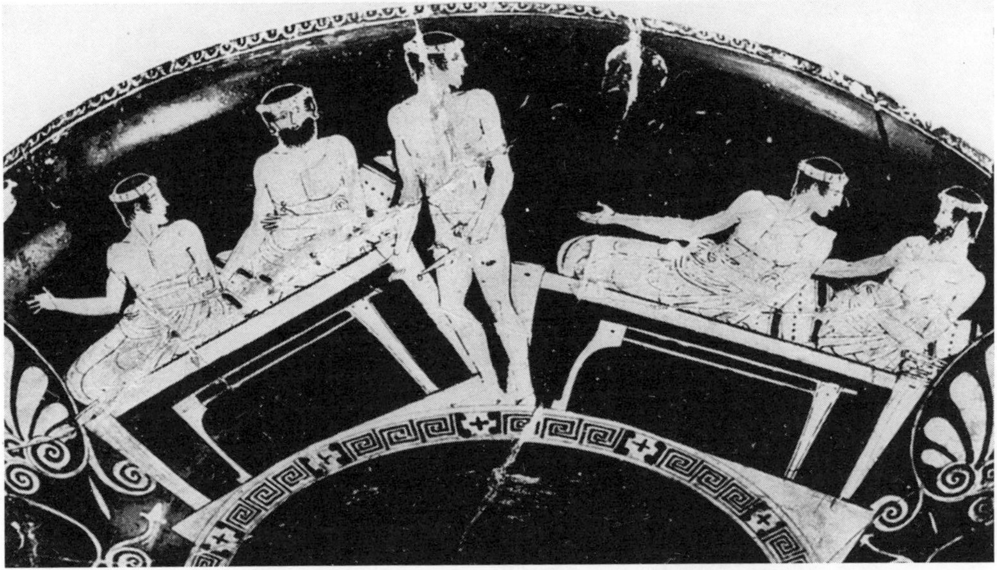

11. *Gespräch beim Symposion. Attische rotfigurige Schale des Euaion-Malers. Etwa 470-460 v. Chr. Genf, Musée d'art et d'histoire.*

12. Musik beim Gelage.
Innenbild einer Schale des Duris. Attisch.
Um 470 v. Chr. München, Museum antiker
Kleinkunst.

13. Liege mit zwei Zechern.
Attischer rotfiguriger Stamnos vom Maler
des Pariser Gelage-Stamnos. Etwa 430 v. Chr.
München, Museum antiker Kleinkunst.

14. Tanzender Zecher mit Trinkschale und Saiteninstrument. Attischer schwarzfiguriger Teller (weißgrundig) des Malers Psiax. Etwa 520-510 v. Chr. Basel, Antikenmuseum.

15. *Umzug von Zechern auf der Trinkschale des Brygos-Malers. Um 490 v. Chr. Würzburg, Martin-von-Wagner-Museum.*

16. Zecher und Hetäre vom Skyphos des Brygos-Malers. Um 500 v. Chr. Paris, Musée du Louvre.

NACHWORT

I. Platons ›Symposion‹ in seiner Zeit

Das ›Symposion‹ gilt als eines der Meisterwerke Platons. ›Symposion‹, in falscher Prüderie bisher immer als ›Gastmahl‹ verdeutscht, heißt ›Trinkgelage‹. Auch der meist übliche Untertitel ›Von der Liebe‹ trifft nicht recht. Denn im Unterschied zur Liebe ist Eros immer Leidenschaft. Für Liebe als bloß gefühlshafte, als soziale oder christliche Haltung haben die Griechen andere Wörter.

Die dionysische Szenerie des Trinkgelages bietet den Rahmen für inspirierte Reden über den Eros: über den sinnlichen ebenso wie über den geistigen »platonischen«. Die Liebe zu einer »schönen Seele« gilt Platon gegenüber dem körperlichen Begehren als die höhere, aber noch nicht als die höchste Stufe der Erotik. Aus dem ästhetischen und ethischen erwächst zuletzt der intellektuelle Eros. Platon nahm den griechischen Begriff der Philosophie ganz wörtlich; denn indem er Liebe als Erkenntnisleidenschaft begreift, setzt er sie mit der Philosophie selbst ineins. Philosophie heißt ja: »Liebe zur Weisheit«.

Doch gerät Eros bei Platon nicht zur bloßen Abstraktion. Zu den besonderen Fähigkeiten der Hellenen gehört es, in der Fülle des Lebendigen gewisse Grundformen zu erschauen. Daher der Gestaltenreichtum ihrer Mythologie – und eine mythische Gestalt ist auch der Gott Eros. Er verkörpert eine elementare Lebensmacht. Im ›Symposion‹ schillert er zwischen Mythos und Logos. Bald erscheint er poetisch-gestalthaft, bald wird er abstrakt-begrifflich gefaßt.

Gerade Platon entspricht dies, denn er ist Dichter und Philosoph zugleich. Während sein Schüler Aristoteles in wissenschaftlich nüchternem Abhandlungsstil schrieb, erhebt Platon entschieden literarische Ansprüche. In seiner Jugend soll er Tragödien gedichtet haben. Als er aber in den Bann des Sokrates geriet, habe er, so heißt es, seine Tragödien verbrannt und sich der Philosophie zugewandt. Die persönliche Umkehr entsprach durchaus dem Zeitgeist, denn mit dem fünften Jahrhundert ging auch die hohe Zeit des griechischen Dramas zuende. Sokrates bot dem jungen Platon eine Alternative: das philosophische Gespräch. Die dialogische und dialektische Verfahrensweise des Sokrates kam Platons dramatischer Begabung entgegen. Wie kein anderer Sokratiker war er berufen, den philosophischen Dialog zur Kunstform zu entwickeln, und im ›Symposion‹ gelang ihm dies in höchstem Maße. In keinem anderen seiner Werke findet sich ein derart facettenreiches Bild attischen Geistes, nirgends sonst fällt die Virtuosität der künstlerischen Durchführung so ins Auge, nirgends sonst erscheinen Philosophie und dramatische Dichtkunst in solch engem Wechselbezug.

Platon läßt sein um das Jahr 380 v. Chr. verfaßtes ›Trinkgelage‹ im Jahre 416 stattfinden. Es ist ein Werk der Retrospektive, nicht nur aus der Sicht des Autors, sondern auch schon vom Standpunkt seines fiktiven Berichterstatters aus. Dessen Bericht ist um das Jahr 400 anzusetzen. Damit rückt die illustre Gesprächsrunde des ›Symposions‹ als Denkwürdigkeit in eine schon ideale Ferne. Im Jahre 416 dauert die Blütezeit des klassischen Dramas noch an: Sophokles und Euripides bringen wenig später ihre Elektra-Tragödien heraus, Aristophanes seine wohl vollkommenste Komödie, ›Die Vögel‹. Anlaß für das Trinkgelage und zugleich wichtigster Anhaltspunkt für die Datierung des dargestellten Geschehens ist der erste Tragödiensieg des mondänen Agathon. Zur Siegesfeier lädt er die berühmtesten Persönlichkeiten des damaligen Athen ein, darunter Aristophanes und Sokrates. Die beiden erfolgreichen Theatermänner und der stadtbekannte Philosoph bilden unter den Gästen die zentrale Gruppe. Ihre drei Reden gehören zusammen, und am Schluß des Trinkgelages steht bedeutsam ihre Erörterung der dramatischen Dichtkunst. Das paßt auch zur Szenerie: denn die Gäste zechen im Zeichen des Weingotts Dionysos, der zugleich der Gott des Theaters ist.

Der Forderung des Schlusses, daß ein und derselbe Dichter sich auf das Komische wie auf das Tragische verstehen müsse, entspricht die ambivalente Struktur des ›Symposions‹. In manchem mutet es wie eine heiter-kultivierte Gesellschaftskomödie an, in der die phantastische Geschichte des Aristophanes den Hauptakzent setzt und zu der Alkibiades das übermütige Satyrspiel beisteuert. Trotzdem klingt in dem Aristophanischen Mythos von der entzweigeschnittenen, ursprünglich aber ganzheitlich-harmonischen Menschennatur auch Tragisches an; und Alkibiades enthüllt hinter allem Satyrhaften eine tiefsinnige Deutung des Sokratischen Wesens und tragische Selbsterkenntnis. Überhaupt mußte für den zeitgenössischen Leser Tragisches mitschwingen. Mit dem militärischen Abenteuer der Sizilischen Expedition riß Alkibiades kurz danach, im Jahre 415, die Athener in die politische Katastrophe. Sie wurde ein Jahrzehnt später durch die Kapitulation Athens gegenüber Sparta besiegelt. Schlimmstes Symptom des Athenischen Niedergangs war indes für Platon die Hinrichtung des »gerechtesten« Mitbürgers: des Sokrates im Jahre 399. Daran trugen die beiden prominentesten Gäste Agathons, Aristophanes und Alkibiades, Mitschuld, wenn auch ungewollt. Aristophanes im vertrautesten Gespräch mit Sokrates und gar die rückhaltlose Enthüllung des Alkibiades, in der sein wahres Verhältnis zu Sokrates ans Licht tritt – das gab Anlaß zum Staunen. Hatte nicht derselbe Aristophanes in seiner Komödie ›Die Wolken‹ den Philosophen als sophistischen Weisheitskrämer verspottet? War er nicht dadurch zum Kronzeugen der Anklage geworden in dem Prozeß gegen Sokrates: ein gottloser Aufklärer sei er und ein Jugendverderber? Gerade für diesen Vorwurf schien die bedenkliche Gestalt des Alkibiades den besten Beweis zu liefern. War also das ›Symposion‹ eine verhüllte Verteidigungsrede, in der Platon seinen Mitbürgern zu verstehen geben wollte, daß sie sich geirrt haben? Daß Aristophanes Komödiendichtung und Wahrheit wohl zu unterscheiden wußte und daß er den Sokrates aufs höchste schätzte? Und was Alkibiades betrifft, so scheint Platon sagen zu wollen, daß sich Sokrates schon früh von ihm distanzierte. Nicht weil Sokrates sein Lehrer war, gedieh er zum Katastrophenpolitiker, sondern weil er seine Lehren in den Wind schlug!

Das alles steht hinter der unbeschwerten Geselligkeit dieses Abends. Seine volle Leuchtkraft erhält dieses Trinkgelage erst im Horizont der späteren dunklen Ereignisse. Im ›Symposion‹ läßt Platon Anmut und Vielfalt attischer Geistigkeit in einem letzten Augenblick gelöster Heiterkeit lebendig werden, bevor die glanzvolle klassische Periode der griechischen Kultur zuende geht.

II. Das griechische Trinkgelage

Zu Symposien vereinte man sich in Hellas seit alter Zeit. Da die bereits für das fünfte Jahrhundert bezeugten Schankwirtschaften in den Städten zumeist anrüchige Kneipen waren, boten private Zusammenkünfte Gelegenheit für einen Umtrunk unter Männern. In der Regel ging eine Mahlzeit voraus. Beim Trinkgelage »lag« man mit aufgerichtetem Oberkörper auf einer »Kline«, einer Art hochbeiniger Couch, die meist für zwei oder drei Personen Platz bot. Diese Liegen waren in Hufeisenform angeordnet. Trinkgefäße wurden von Dienern rechtsherum weitergereicht. Daraus ergab sich die Reihenfolge für die Reden oder sonstigen Beiträge der Gäste. Auch für Platons ›Symposion‹ läßt sich die »Liegeordnung‹[1] klar feststellen. Auf mehreren der in diesem Band wiedergegebenen Vasenbilder sind nicht nur solche »Klinen« zu erkennen; man sieht auch davor Tische und die oberhalb angebrachten Trinkschalen, Krüge und Körbe. Deutlich erkennbar sind die Zechgenossen mit Blumen, Myrten oder Efeu bekränzt und mit Bändern geschmückt. Einer aus der Runde wurde zum Zechmeister: zum »Symposiarchen« gewählt; er befand über die Art des Trinkens, zum Beispiel über das Mischungsverhältnis von Wein und Wasser oder die Gefäßgröße, und nicht zuletzt bestimmte er die Form der Unterhaltung.

Von moderner Geselligkeit unterschied sich diese griechische Sitte durch ihre sakralen Elemente. Die einleitenden Riten der Handwaschung, der Besprengung mit wohlriechenden Essenzen und die Bekränzung des Hauptes gehörten zum religiösen Kult. Dann brachten die Teilnehmer einem Gotte Trankspenden und einen Lobgesang dar, wie es auch Platon erwähnt. Durch dieses Ritual gewann ein Trinkgelage bei allem Frohsinn eine höhere Weihe: Dionysos war ja selbst im Weine gegenwärtig.

In der archaischen Adelsgesellschaft gehörten Weingenuß und dichterische, letztlich noch religiös erfahrene Inspiration zusammen: Man trug eigene Trinklieder vor. Oft sind die Gedichte der griechischen Lyriker für Symposien bestimmt gewesen und aus ihnen hervorgegangen. Ein Jahrhundert vor Platon nennt Xenophanes in seiner Gelage-Elegie den Mann lobenswert,

»der nach dem Trunke Edles ans Licht bringt«. Dazu gehört auch die Mahnung zur Mäßigung. »Nur so viel solle man trinken, daß man ungeleitet noch nach Hause finden könne«.[2]

In späterer Zeit, als sich der Teilnehmerkreis über den engen Bereich der aristokratischen Gesellschaft hinaus erweiterte, scheinen anspruchsvolle Gespräche beim Gelage zumindest unter Gebildeten immer Sitte geblieben zu sein. Dies dokumentiert die reichhaltige Symposienliteratur, die im wesentlichen von den Dialogen zweier Sokratiker ausging: von dem bei aller Lebensnähe idealisierenden Werk Platons und von der wenig später verfaßten gleichnamigen Schrift Xenophons, die nicht ein so hohes Niveau hat, jedoch eine Fülle kulturgeschichtlich interessanter Details bietet.

Wetteifernde Stegreifreden, wie sie bei Platon und Xenophon zu lesen sind, entsprachen dem Interesse der stets für den Wettkampf begeisterten Griechen, die ja auch die Sportwettkämpfe der Olympischen Spiele erfunden haben. Nicht nur die sportlichen Spiele, sondern auch die Theateraufführungen waren für die Griechen Wettkämpfe, und in den Dramen selbst waren Redewettkämpfe beliebt. Natürlich zogen die Gäste eines Symposions oft harmlosere Vergnügungen vor: man bestritt die Unterhaltung mit Rätseln, Witzen oder Anekdoten, auch mit Gesellschaftsspielen, etwa einer Geschicklichkeitsprobe wie dem »Kottabos«, bei dem die Neige des Weins auf ein Ziel geschleudert wurde. Häufig ließ man Gaukler, Pantomimen, Artisten oder Musikanten ihre Kunststücke vorführen. Auch Flöten- und Zitherspielerinnen oder Tänzerinnen sorgten für Abwechslung. Sie waren Hetären. Die Frauen der guten Gesellschaft hingegen blieben ausgeschlossen. In Platons ›Symposion‹ verzichten die Gäste gleich zu Beginn einmütig auf bloßen Zeitvertreib und schicken die Unterhaltungskünstlerin fort.

Oft schloß sich an ein Trinkgelage noch ein »Komos«, ein nächtlicher Umzug angeheiterter Zecher an, die mit Flötenmusik durch die Stadt schwärmten. »Komasten« erleben wir auch im ›Symposion‹: zu später Stunde erscheint Alkibiades mit einer Flötenspielerin und anderen Begleitern und ganz am Schluß dringt noch ein weiterer Schwarm ein. Solche »Komoi«, von denen sich die Komödie ableitete, sind auf zahlreichen attischen »Vasen«, das heißt Weingefäßen zu sehen, für die sie das ideale Sujet waren. Beispiele dafür bietet der Bildteil.

III. Eros bei den Griechen

Die Knabenliebe, über die Goethe geäußert hat, sie sei »so alt wie die Menschheit, und man könne daher sagen, sie liege in der Natur, ob sie gleich gegen die Natur sei«[3], war bei den Hellenen keineswegs ein mehr oder weniger geduldeter oder gar verhüllter Brauch. Kaum ein Dichter, bildender Künstler oder Philosoph unterließ es, sich mit diesem Thema zu befassen. Sexualität überhaupt war in der Antike nicht tabuisiert.

Wie unbefangen die Griechen in dieser Hinsicht waren, zeigt sich etwa an allem Dionysischen. An den Festen des auch als Fruchtbarkeitsgott verehrten Dionysos gab es nicht nur Theateraufführungen, sondern auch Phallos-Umzüge. Und im Gefolge des Gottes trieben die elementar sinnlichen Satyrn ihr ausgelassenes Spiel, wie es auf zahlreichen Vasen dargestellt ist. Auch die Tragödienaufführungen, die ja dem Dionysos geweiht waren, schlossen mit einem Satyrspiel.

Ebenso typisch für die Hellenen aber war es, Sexualität zur Erotik zu sublimieren. Bei ihrer Empfänglichkeit für Schönheit, insbesondere die des menschlichen Körpers, lag die Verbindung des Ästhetischen mit dem Erotischen nahe. Nicht zufällig kam in ihrem öffentlichen Leben dem Sport und der bildenden Kunst ein so hoher Stellenwert zu. Wie in der Kunst der Hellenen gedieh im Sport der Kult gerade männlicher Schönheit. Knaben und Männer gaben sich der Freude an Leibesübungen hin, und sie taten dies nackt, »gymnoi«, wovon die wichtigste Art der Sportstätten, das Gymnasion – unser späteres »Gymnasium« – seinen Namen hat.

Da die Frau weder am öffentlichen Leben noch an der höheren Bildung Anteil hatte, fand der griechische Mann in Frauenliebe und Ehe kaum geistige Partnerschaft. Das Exempel dafür ist die wohl zu Unrecht vielverspottete, sprichwörtlich gewordene Xanthippe, die Frau des Sokrates. Anders die Hetären, die nicht nur künstlerisch geschult, sondern auch literarisch und philosophisch gebildet sein konnten. Ja, es gab sogar politisch aktive Frauen, wie Aspasia, die geistvolle Freundin und spätere Gattin des Perikles. Doch bestätigt diese berühmte Ausnahme eher die Regel.

Vor allem in der Oberschicht waren homoerotische Beziehungen verbreitet. Bei den Dorern waren sie sogar gesetzlich und religiös anerkannt, wahrscheinlich weil sich bei diesem Stamm, in Sparta und Kreta, die militärisch ausgerichtete Männergesellschaft bis hin zu Zelt- und Speisegenossenschaften erhalten hatte.

Dort galt es als Schande für einen jungen Mann, keinen älteren Freund zu finden. Dieser hatte mit dem Jüngeren von dessen zwölftem Lebensjahr, also vom Beginn der Pubertät an Umgang. Er trug die Verantwortung für seine Erziehung. Für Verfehlungen des Knaben oder jungen Mannes wurde er zur Rechenschaft gezogen, und neben den männlichen Verwandten war er so etwas wie ein Vormund bis zum dreißigsten Lebensjahr des jüngeren Freundes. Der legendäre spartanische Gesetzgeber Lykurg soll in einer solchen Liebesbeziehung die beste Erziehung gesehen haben.

Wie Phaidros im ›Symposion‹ erwähnt, standen die jungen Männer im Kampf Seite an Seite mit ihren älteren Freunden. Unter den Augen des Freundes sei ein jeder bestrebt, sein Bestes zu leisten. Diese Worte des Phaidros fanden wenige Jahre nach der Entstehung des ›Symposions‹ ihre berühmteste Bestätigung in der Schlacht bei Leuktra (371 v. Chr.): die »Heilige Schar« der Thebaner, die aus lauter Freundespaaren bestand, kämpfte dort bis zuletzt in vorderster Front. Ihre Tapferkeit galt als Zeugnis für die anspornende Kraft des männlichen Eros. Nicht weniger pries man die Freunde in der Schlacht bei Chaironeia im Jahre 338. Plutarch erzählt, der Makedonenkönig Philipp habe nach dem Sieg das Kampffeld besichtigt und die dreihundert Gefallenen der Heiligen Schar im Tode vereint gesehen. Da habe er unter Tränen ausgerufen: »Elend sollten jene verderben, die vermuten, diese hätten Schändliches getan!«[4] Und wie an diesem Ende des griechischen Stadtstaates rühmte man an dessen Beginn, im Athen des ausgehenden 6. Jahrhunderts eine aus Männerliebe erwachsene Heldentat: den Tyrannenmord des Harmodios und Aristogeiton. Zu attischen Trinkgelagen gehörte üblicherweise der Preis dieses Freundespaares – so auch zu Platons ›Symposion‹.

Pausanias, der darin die Befreiungstat des Harmodios und Aristogeiton rühmt, ist überhaupt der entschiedenste Anwalt des dorischen Eros. In dieser Rolle zeigt er sich als der typische vornehme Herr der Athenischen Gesellschaft. Denn gerade der Adel war traditionell auf das konservative, oligarchische Sparta ausgerichtet und hatte daher auch dessen Hochschätzung der Päderastie übernommen. So plädiert Pausanias wie für ein ihm selbstverständlich zukommendes Standesprivileg. Das kultivierte Reden über den Eros gewinnt das Valeur eines aristokratischen Gesellschaftsspiels, vergleichbar etwa dem höfischen Minnekult des Mittelalters.

Anders als sein Vorredner Phaidros, der einfach die Liebe als die zur Tugend begeisternde Macht verherrlicht, spricht Pausanias von zweifacher Liebe: Während er die »allgemein im Volk verbreitete« von vornherein als die bloß sexuelle abwertet, nimmt er die »himmlische« für die homoerotische Beziehung zwischen Männern in Anspruch; denn nur diesem Eros wohne die Kraft zur Versittlichung und Vergeistigung inne. Ausschließlich den »Aristoi«, den Edelsten und Besten dürfe er gelten. Man merkt: ein Vertreter der Aristokratie hat das Wort.

In der Tradition altadliger Anschauungen preisen Phaidros und Pausanias den Eros als Mittel der Erziehung zur Tugend und der Geistesbildung. Agathon fügt ein weiteres wesentliches Element hinzu: die Schönheit. Auch er knüpft damit an altüberlieferte Vorstellungen der Adelswelt an: an das Ideal der »Kalokagathia«, der leiblich-seelischen Vollkommenheit. Schön also und gut zugleich zu sein, ist ihm, dem Schönen, das Höchste im Erleben des Eros.

Daß die Wirklichkeit allerdings oft ganz anders aussah als es diese auf Schönheitssinn, Tugend und Geistesbildung abzielenden Idealvorstellungen nahelegen, stellt Pausanias in seiner Beschreibung der »gemeinen Liebe« unverhüllt heraus. Auch mit dem Erziehungsgedanken war es in der Realität offensichtlich nicht immer zum Besten bestellt. Nach Pausanias war der ältere Freund oft nicht etwa der verantwortungsvolle Erzieher des Jüngeren, im Gegenteil: die jungen Leute wurden in der Öffentlichkeit von Pädagogen begleitet, die sie vor den Nachstellungen zügelloser Päderasten schützen sollten. Die Komödien des Aristophanes sind voll von obszönen Anspielungen auf homosexuelle Verhältnisse. Für viele der gewagtesten Späße liefern gerade sie den Stoff.

Angesichts dieser häufigen Diskrepanz von Ideal und Wirklichkeit drängt Platon die sinnliche Seite der Päderastie in der Diotima-Rede des ›Symposions‹ zurück, ohne sie indes ausdrücklich abzulehnen. Als Aristokrat war Platon selbst, wie viele seiner Standesgenossen, für homoerotische Freundschaft empfänglich. »O Dion, der du mein Herz in rasender Liebe entzündet«, heißt es in seinem Grabepigramm auf den Freund, den Prinzen von Syrakus.[5] Später verurteilt er dann Homosexualität auf das entschiedenste als widernatürlich. Sogar den alten Mythos vom schönen Knaben Ganymed, den Zeus entführte und zum olympischen Mundschenk erhob, verwirft er in seinem Alterswerk, in den ›Gesetzen‹[6]; denn mit Berufung auf diese Geschichte solle auch Unsittliches gerechtfertigt werden.

Ohnehin wandelte sich im 4. Jahrhundert die Einstellung zum Erotischen. Das zeigt sich nicht zuletzt in der bildenden Kunst. Die jünglingshafte Eros-Gestalt, wie sie noch auf den Vasenbildern dieses Bandes erscheint, weicht mehr und mehr dem kindlichen Sohn der Liebesgöttin Aphrodite. Ein berühmtes Beispiel dafür ist der bogenspannende Eros-Knabe des Bildhauers Lysipp. Mit der Reduktion der Eros-Gestalt zum verspielten Kind verbindet sich offenbar eine Umorientierung des erotischen Leitbildes vom Männlichen zum Weiblichen. Aphrodite erscheint nun erstmals völlig unbekleidet in der bekannten Knidischen Statue des Praxiteles. Seit dem Hellenismus lebt Eros in verkleinerter

Gestalt fort: verniedlicht und vervielfältigt bis hin zu den Amoretten und Putti der Renaissance und des Barock.

IV. Die Sophistik im ›Symposion‹

Obwohl Pausanias als ausgesprochner Traditionalist für die Päderastie eintritt, führt er an ihrem Beispiel eine Novität der aktuellen »sophistischen« Aufklärung vor: die These von der Relativität der Sitten. Die Dorer, so sagt er, schätzten die gleichgeschlechtliche Liebe zwischen Männern hoch, bei den Ioniern dagegen sei sie verpönt. An Methode und Gedankengut der neuen »Weisheitslehrer« hält er sich auch darin, daß er ihre Vorliebe für Antithesen übernimmt. Die wichtigste dieser Antithesen, die Unterscheidung der zwei grundsätzlichen Formen der Liebe, erinnert an die im Text selbst erwähnte Parabel des Sophisten Prodikos von Herakles am Scheidewege, der zwischen der Lust und der Tugend zu wählen hat. Sophistische Manier verrät ebenfalls der Beitrag des Pausanias-Freundes Agathon. Besonders gegen Ende seines Vortrags läßt ihn Platon den Prunkstil des berühmten sophistischen Redelehrers Gorgias so trefflich nachahmen, daß die parodistische Absicht unverkennbar ist. Überhaupt entsprechen die Reden des ›Symposions‹ dem sophistischen Usus, eine Person oder einen Gegenstand von verschiedenen Seiten darzustellen und zu preisen. So hatte etwa Gorgias um die Zeit des ›Symposions‹ eine berühmte Lobrede auf Helena verfaßt; in spielerischer Pose stellte er darin die schönste, doch nicht eben tugendhafteste aller Frauen als Opfer des Eros dar. Phaidros, gleichfalls eifriger Sophistenschüler, hat durchaus die Konkurrenz mit diesen neumodischen Rhetorikern im Sinn, als er das Thema »Eros« anregt.

Warum all dies sophistische Kolorit im ›Symposion‹? Natürlich waren diese Intellektuellen des fünften Jahrhunderts aufregend modern. Es konnte gar nicht ausbleiben, daß Stil und Inhalt der hier von Männern der damaligen geistigen Elite vorgetragenen Reden unter ihrem Eindruck standen. Doch im Vergleich des Pausanias und des Agathon mit Sokrates wird klar, worum es Platon eigentlich geht. Bei allem, was die Reden der beiden an Richtigem enthalten, bleiben sie letztlich im Unverbindlich-Spielerischen. Esprit und Brillanz gelten mehr als Bemühung um Wahrheit.

Die Besinnung auf die Möglichkeiten des eigenen kritischen Intellekts hatte Sokrates mit den neuen »Weisheitslehrern« durchaus gemein. In den Folgerungen aber unterschied er sich grundsätzlich von ihnen. Trotz mancher positiven Ansätze vermochten sie nach der Kritik, ja Destruktion der tradierten Normen nichts wirklich tragfähiges Neues zu schaffen. Sie erschöpften sich zumeist in Relativismus, rhetorischem Formalismus und Polyhistorismus. Die Rückbindung des Intellekts an die Ethik blieb aus. Das Ergebnis war die Position eines radikalen Egoismus – vor allem in den ungeniert artikulierten Konsequenzen der jüngeren

Sophistengeneration. Was zählte, war allein der Vorteil und der Erfolg, den man mittels raffinierter Rhetorik um jeden Preis zu erreichen suchte. Dies zeitigte verheerende Folgen; denn die Sophisten lieferten letztlich das geistige Rüstzeug für die imperialistische Politik eines Alkibiades. Der als »Recht des Stärkeren« propagierte Egoismus erweiterte sich konsequent zum kollektiven Egoismus des Imperialismus.

Im Gegensatz zu den Sophisten vermochte Sokrates, und das ist wohl das Geheimnis seiner einzigartigen Ausstrahlungskraft, ein existentiell tragfähiges Beispiel vorzuleben. Mit der neuentdeckten Intellektualität vermittelte er die Ethik, deren Grundfragen er unermüdlich erörterte. Und in den Dienst der Philosophie stellte er den Eros. Der Eros läßt den begeisternden Funken vom einen zum andern überspringen und reißt in die geistige Sphäre empor. Weisheitsliebe wird damit zur höchsten Form der Liebe überhaupt; und weil sie sich mit menschlichem Ethos verbindet, wird sie zum Anspruch, der den Menschen in seinem ganzen Sein fordert. Daher trotz aller Ironie und Phantasie der pathetische Ernst der Sokratischen Rede über den Eros – im Unterschied zur spielerisch-konventionellen und mit rhetorischem Flitter aufgeputzten Sprechweise der Sophistenschüler Pausanias und Agathon.

Das ›Symposion‹ hat drei Hauptteile: die ersten fünf Reden, die Rede des Sokrates und abschließend die des Alkibiades. Der Part des Sokrates, der Wesentliches aus den früheren Beiträgen aufgreift, es aber in einem neuen Horizont aufhebt, bildet also die Mitte – eine reich gegliederte Mitte. Zuerst spricht Sokrates mit Agathon, dann berichtet er von Diotimas Gespräch mit ihm, schließlich stellt er aus der Erinnerung Diotimas große Rede über den Eros dar. Auf sie hin ist die gesamte Komposition perspektiviert: Platon entrückt sie gleichsam ins Innerste seines Werkes, wie in einen geweihten Bezirk. Zu diesem Innersten gelangt man nur mittelbar und über Stufen. Als Autor beruft sich Platon auf einen Bericht Apollodors, der seinerseits einem Freund den Bericht Aristodems von dem Trinkgelage bei Agathon wiedergibt, und in diesem Bericht Aristodems berichtet nun Sokrates selbst von seiner Unterweisung durch Diotima. Es handelt sich also um einen Bericht in dem Bericht von einem Bericht.

Überraschend führt Platon eine Frau als höchste Autorität an. Auch im Platonischen ›Menexenos‹ gibt sich Sokrates als Schüler einer Frau aus, der gescheiten und politisch versierten Perikles-Gattin Aspasia; sie unterweist ihn in der Rhetorik. Platon hat in Diotima eine Gegenfigur zu Aspasia geschaffen. Die weltentrückte, zur geistigen Schau berufene Priesterin steht der ironisch gezeichneten weltklugen Politikerin gegenüber.

Aspasia ist eine historische Gestalt. Für Diotimas reale Existenz scheint die Nennung ihrer arkadischen Heimatstadt und die genaue Datierung ihres Aufenthaltes in Athen zu sprechen, zehn Jahre vor der großen Pest zu Beginn des Peloponnesischen Krieges. Daß der Autor gerade dieser »Fremden« die entscheidenden Aussagen in den Mund legt, soll andeuten, wie sehr das nun Vorgetragene über den Bereich Sokratischen Denkens hinausgeht. Denn Sokrates war, wie Aristoteles überliefert, nicht weiter als bis zur Annahme induktiv gewonnener Allgemeinbegriffe gegangen. Erst Platon erhob diese Allgemeinbegriffe zu selbständigen Wesenheiten, die von der Erfahrungswelt abgetrennt sind: zu »Ideen«. Das ›Symposion‹ und der zeitlich benachbarte ›Phaidon‹ sind die ersten Schriften, in denen Platon die Welt der Ideen als Ziel und Zentrum seines Philosophierens entwirft. Hier stehen wir am Ursprung des Idealismus. Doch stellt sein Schöpfer diesen für die europäische Geistesgeschichte so bedeutsamen Entwurf mit auffallender Zurückhaltung vor. Platons Sokrates braucht die priesterliche Führerin, er »staunt« über das Geschaute[7]; andere überkommt »Schauer« oder »Schwindel« an solchen Gipfelstellen. Es handelt sich also mehr um Intuition, ja Offenbarung als um Lehre. Immer wieder läßt Platon die Scheu vor dem nicht dogmatisch Fixierbaren spüren. Dieser Haltung prinzipieller Offenheit entspricht zum einen die Wahl der dialogischen Form, die ihn hinter den perspektivisch eingeschränkten Aussagen seiner Dialogfiguren zurücktreten und Distanz halten läßt – die Sokratesgestalt macht da keine Ausnahme. Zum andern erklärt sich daraus seine Vorliebe für Mythos und Metapher, wo immer es um Transzendentes geht. In den Horizont dieser Perspektivierung und Mythisierung gehört nicht zuletzt Diotimas Rede.

Der priesterlichen Seherin Diotima bedarf Platon, weil ein »seherisches Ahnen«[8] den Weisen zur Schau der Ideen emporreißt, vor allem aber, weil die Verzückung der Liebenden mit dem Außersichsein der Seher verwandt ist. Beide ekstatischen Zustände seien gleichsam »göttlich«, schreibt Platon im ›Phaidros‹:[9] ein höheres Fühlen, das die Enge menschlichen Normalbefindens sprengt. In die gleiche Sphäre gehört neben der dionysischen auch die dichterische Begeisterung; Intuition und Inspiration liegen nah beieinander. Als höchste Form der Ekstase gilt indes die erotische Verzückung. Im ›Symposion‹ preist der junge Phaidros den Liebenden als »entheos« – als »Gottbegeisterten«. Ja sogar von der Liebe zur Weisheit, der Philosophie, heißt es dort einmal ausdrücklich: durch sie seien sie alle zusammen bacchantisch verzückt und begeistert. Von der Ekstase und vom Enthusiasmus her gelingt psychologisch am ehesten der Zugang zum Eigentümlichen des Platonischen Eros. Denn was ist Liebe anderes als ein Sich-Öffnen für jemanden oder etwas und ein Aus-sich-Heraustreten, wobei dieses Affiziertwerden und Transzendieren in höchster Steigerung als Leidenschaft und als Begeisterung erfahren wird.

Für Platon gehört Eros auch in den religiösen Erlebnishorizont. Ganz offenkundig wird dies, wo sich Diotimas Rede in die mystische Sphäre erhebt: Platon entlehnt Ausdrücke aus der Sakralsprache und steigert den Stil zu dithyrambischer Höhe. Die Priesterin weiht Sokrates in die letzten Geheimnisse der Erotik wie in die »letzten und heiligsten, in der Schau sich offenbarenden Geheimnisse« der Eleusinischen Mysterien ein. Das eigentlich Platonische an der Rede dieser priesterlichen Frau ist jedoch nicht die sakrale Vorstellung des Geheimnisvoll-Offenbaren, die archetypisch ist und sich sowohl in den antiken Mysterien wie in der Bibel findet. Ebensowenig ist es die Erhebung des Eros zu einem höheren Wesen. Längst vor Platon haben die Griechen Eros als Gottheit verehrt. Platons Besonderheit ist vielmehr die bewußte Verschmelzung von erotischen und religiösen Erlebnisweisen. So wie diese komplexe Art des Erlebens später in der mittelalterlichen Mystik begegnet, aber auch in dem berühmten Liebesroman von ›Tristan und Isolde‹, wäre sie ohne die von Platon ausgehende, durch den Neuplatonismus vermittelte Spiritualisierung der Liebe kaum denkbar gewesen.

Eines wird indes gerade an Diotimas Rede deutlich: Platons Religiosität und Mystik gilt nicht persönlichen Gottheiten, sondern den Ideen. »Göttlich« heißt im ›Symposion‹ das Schöne an sich. Das Sprechen vom Göttlichen, von den Göttern oder Gott ist im Grunde metaphorisch. Der Dichter Platon greift auf vertraute Vorstellungen zurück, der Denker meint anderes. Dennoch bewahrt die höchste geistige Instanz für ihn die Aura des Göttlichen. Im Sinne dieser intellektuellen

Mystik muß Diotima, indem sie zur Welt der reinen Geistigkeit emporführt, ihre Rolle als Priesterin übersteigen. Zwar wird der Akt der Ideenschau selbst gleichsam religiös erlebt, aber der Zugang zu dem rein intelligiblen Gegenstand der Anschauung ist einem einzigen Menschentypus vorbehalten, dem Philosophen. Deshalb heißt Diotima auch »vollendete Sophistin«. Sie ist die wahre Lehrerin der Weisheit. Gegenüber dem Platonischen Sokrates verkörpert sie die über menschliches Wissen hinausgehende Autorität, wie gegenüber dem historischen Sokrates die Delphische Priesterin Pythia, nach deren Spruch er als der weiseste der Menschen galt.

Daß Diotima als Priesterin und Seherin der über das bloß Irdische hinausgehenden Sphäre zugeordnet ist, legitimiert sie zu der Grundbestimmung des Eros: Sie nennt ihn einen »Daimon«. Im Gegensatz zu unserer modernen Auffassung des Dämonischen, zu dem das Unheimliche oder sogar Satanische gehört, meint der griechische Begriff des Daimons bei Platon ein Zwischen-Wesen, das zwischen der menschlichen und der göttlichen Sphäre schwebt: eine Art Engel. Als »Daimon« nun erhält Eros von Diotima eine Reihe wichtiger Funktionen zugesprochen. Erstens ist er eine produktive, ja zeugerische Energie. Zweitens vermittelt er, als Zwischenwesen, die getrennten Sphären »dialektisch« zu einem Ganzen. Drittens ist er eine sublimierende Kraft, die der Steigerung zum Höchsten dient – und dieses Höchste ist für Platon die Schau der Idee. So steht die Eros-Lehre Diotimas am Ursprung des Idea-

lismus. ›Symposion‹ und ›Phaidon‹ sind die Gründungsurkunden der Platonischen Ideen-Lehre.
Die erste Bestimmung des Eros als einer produktiven Energie findet Platon in dem berühmten Satz, das Wirken des Eros sei ein »Zeugen ... im Leiblichen wie im Geistigen«. Hierzu paßt es, daß der Mythos vom Eros seinerseits als Zeugungsmythos dargeboten wird: Wesen und Wirken des Eros erklären sich aus seiner Herkunft. Vater des Eros ist Poros, der Sohn der Klugheit, der immer Mittel und Wege weiß. Er gehört in die Nähe des Göttlichen, rein Geistigen, ohne indes selbst ein Gott zu sein. Dazu fehlt ihm nach Platon das eigentlich Göttliche: das Maß, das die ewige Harmonie stabilisiert. Berauscht versinkt Poros in Schlaf, und dies weist auf seine Unfähigkeit, die Dimension des Geistigen dauerhaft festzuhalten. Der Maßüberschreitung im Genuß, im Zuviel, steht das Zuwenig gegenüber: der Mangel. Penia, die Armut, ist die Mutter des Eros. In ihr gewinnt die menschliche Beschränktheit in den Seins- und Erkenntnismöglichkeiten Gestalt. Ohne Lösung, ohne »Poros«: aporetisch enden nicht zufällig viele Sokratische Untersuchungen. Indem nun aber die Armut, die Mittel- und Ausweglose, sich gerade mit dem verbindet, der um Mittel und Wege nie verlegen ist, zeigt sich allegorisch, daß A-porie durch Poros überwunden werden kann. Und aus diesem Bunde geht der Sproß hervor, der die Menschen immer wieder aus dem resignativen Bewußtsein ihres Mangelzustands, aus der Gefahr der Apathie herausreißt und zu lebendigem Wirken anspornt, ja beflügelt. Eros – das

ist also der Zeugungs-, Tätigkeits- und Erkenntnistrieb in seiner ständig sich erneuernden Dynamik.

Die zweite Bestimmung, die der Vermittlung zwischen den getrennten Bereichen zu einem Ganzen, hat Eros mit der Seele gemein. Denn wie Psyche integriert Eros die Gegensätze Trieb und Geist. Einen literarischen Nachklang dieser engen Beziehung zwischen Eros und Seele fassen wir noch in dem bekannten Märchen, das der Römer Apuleius von dem Liebesgott Amor und dem Mädchen Psyche erzählt.

Platon findet ausdrucksvolle Bilder für das vermittelnde Wesen des Eros. Als »Fährmann«, so sagt er, schaffe Eros zwischen den getrennten Sphären wie zwischen zwei Ufern Verbindung. Als »Dolmetsch« überbrückt er die Kluft zwischen den Welten, weil er zwischen Göttern und Menschen das »Gespräch« in Gang bringt: »Dialektos« ist das griechische Wort dafür; es zeigt an, daß hier der Ursprung der Dialektik liegt. Das einander Entgegengesetzte wird zum »Ganzen« zusammengebunden, indem es durch ein Drittes, eben das dynamische Prinzip Eros im dialektischen Prozeß zur Synthese findet.

Die dritte Bestimmung des Eros in Diotimas Rede ist die der Sublimation: Eros vergeistigt bis zur Ideenschau. Wie in den Mysterien führt dieser Weg nach oben über Stufen. Wer dem Eros sein Leben geweiht hat, sagt Diotima, wird zuerst durch einen einzelnen schöngestalteten Menschen beglückt, dann freut er sich an Leibesschönheit allgemein, darauf liebt er das Seelisch-Schöne, das Schöne im Tun und Handeln und in Erkenntnissen, und zuletzt die Idee des Schönen selbst.

In dieser Stufenfolge rangiert die Liebe zu Personen weit unterhalb der Liebe zu Allgemeinbegriffen. Dagegen spricht Aristoteles von der Liebe zu Personen »um ihrer selbst willen«[10], was schon an Kants Einschätzung von Personen als Zwecken in sich selbst denken läßt. In Platons Wertung wird eine dem Idealismus innewohnende Gefahr erkennbar: die dominierende Ausrichtung auf das Allgemeine, auf die Idee kann auf Kosten des Persönlichen und damit letztlich auch des Humanen gehen. Platon selbst ist dieser Gefahr nicht ganz entgangen, wie sich etwa an seiner rigorosen Unterordnung individueller Bedürfnisse im ›Staat‹ zeigt. »Die Liebe zu einem Ideal«, schreibt Friedrich Schiller im 11. Brief über den ›Don Carlos‹, könne dazu führen, daß »der uneigennützigste, reinste und edelste Mensch aus enthusiastischer Anhänglichkeit an seine Vorstellung von Tugend und hervorzubringendem Glück sehr oft ausgesetzt ist, ebenso willkürlich mit den Individuen zu schalten als nur immer der selbstsüchtigste Despot«. »Weil die wahre Größe des Gemüts«, fährt er fort, »in steter Hinsicht auf das Ganze wirkt, verschwindet nur allzu leicht das kleinere Interesse des Individuums in diesem weiten Prospekte.«

Für sämtliche Stufen der Aufwärtsbewegung zu den Ideen verwendet Diotima das Schlüsselwort »schön«. Offenkundig ist die Bedeutung der Schönheit im Bereich des Ästhetischen. Nicht ohne weiteres verständlich erscheint sie im ethisch-politischen oder gar im intellektuellen Bereich: im Bereich des Handelns und Erkennens, zu dem ja der Stufenweg des Eros ebenfalls emporführt. Aber gerade dies entspricht einer grundlegenden griechischen Denkform. In der hellenischen Idealvorstellung des Schön-Gutseins, der Kalokagathie, verschmilzt das Ästhetische mit dem Ethischen; und Ethik umfaßt immer auch den Intellekt. Gutsein, Tüchtigkeit, setzt Verstand voraus, ja Weisheit ist die höchste Tugend. Ferner steht das Schöne häufig sogar für das Vollendete, und ist es nicht das Vollendete, so zielt es zumindest darauf. Das »Telos«, höchstes Ziel und letzter Zweck, in dem sich der Aufstieg teleologisch vollendet, ist Diotimas Leitwort. Als Chiffre des Vollendungsgeschehens dringt das Wort »Telos« aus den Mysterien in die Philosophie ein.

Dem ästhetisch Schönen weist Platon innerhalb der Welt der Phänomene einen einzigartigen Rang zu. Ein Kunstwerk oder eine Naturschönheit (wobei der Hellene eher einen wohlgestalteten Menschen oder den gestirnten Himmel als eine Landschaftsimpression vor Augen hat) weckt im Betrachter spontan die Ahnung des Vollkommenen. Einzig die Idee des Schönen wird unmittelbar sinnfällig in unserer Welt; sie ist es, die »am meisten hervorleuchtet und zur Liebe reizt«.[11] Der Anblick des Schönen läßt der Seele Fittiche wachsen. Denn sie wird von Eros ergriffen, der ebenfalls im Bilde des »Geflügelten« erscheint.[12] Und für Platon sind »Lust und Liebe« nicht nur, wie Goethe sagt, »Fittiche zu großen Taten«, sondern vor allem zur höchsten Erkenntnis.

Nicht zufällig betont Platon, indem er seinen Ideenkosmos erstmals darstellt, gerade die Idee des Schönen: Der Aufstieg geht vom unmittelbaren Anschauen aus, und er gipfelt in einem Akt des Schauens. Die Wörter für sinnliches und geistiges Schauen, nämlich »sehen«, »wissen« und »Idee« haben im Griechischen dieselbe Wurzel »(v)id«. »Idee« meint im vorphilosophischen Gebrauch nichts anderes als die anschaubare, zumeist die schöne Gestalt; für Platon wird sie zur reinen Urgestalt der Wirklichkeit.

In die Umschreibung des Schönen fließt auch das Gute und Wahre mitein. Denn das Schöne und das Wahre sind für Platon Aspekte ein und derselben Idee des Guten, die als die höchste »an Würde und Kraft«[13] alles Irdische übersteigt und mit der Gottheit verschmilzt. Die Schönheit, die »am hellsten strahlt«, vergegenwärtigt den Glanz des ewig Seienden schlechthin. Aber auch das Gute und das Wahre werden in die Lichtmetaphorik einbezogen. Die Idee des Guten wird vorstellbar im Sonnengleichnis und die Wahrheit im Bilde des Lichts, das von ihr ausstrahlt[14] – wieder herrscht der Bezug zum Schauen vor. Wahrheit, »Aletheia«, bedeutet für die Hellenen »Unverborgenheit«: ein offenes Zu-Tage-Liegen und Sich-Zeigen, wie besonders Heidegger in seiner Abhandlung über ›Platons Lehre von der Wahrheit‹ betont hat.

Über diese Metaphorik des Schauens und Leuchtens eröffnet Platon einen erlebnishaften Zugang zu seiner Metaphysik. Die Erfahrung des Absoluten gewinnt dadurch eine spezifisch unbegriffliche Dimension, wie

ja auch der Weg dahin gerade im ›Symposion‹ erlebnishaften: erotischen Charakter hat. Den begrifflichen Umgang mit den Ideen hingegen leistet die Dialektik. Sie strukturiert die Platonische Philosophie in den späteren Schriften mehr und mehr. Daß es sich um ein Mit- und Ineinander beider Wege, des erotischen und des dialektischen handelt, deutet sich aber schon im ›Symposion‹ an, auch wenn Platon hier noch den emotionalen Zugang zum Höchsten betont. Es ist von der letzten Stufe des dialektischen Erkennens aus nur intuitiv zu fassen: »Plötzlich«, also irrational, erscheint dem wahren Erotiker das »staunenswerte« Höchste selbst, wie in den Mysterien dem staunend »Hinaufschauenden«. Der Dialektiker hingegen vermag, so heißt es an anderer Stelle, das vielfach Zerstreute zu einer Idee »zusammenzuschauen«.[15] Das Erschaute, etwas von »unvorstellbarer Schönheit«, entzieht sich indes jeglicher Anschaulichkeit. Es ist stofflos und farblos und wird durch Verneinung aller raum-zeitlichen Merkmale umschrieben. Das Paradox wird leichter faßlich, wenn man das Schauen als ein innerliches versteht.
So sehr die Schönheit bei Platon ästhetisch fasziniert, so sehr er ihr das Schauen zuordnet – sie übersteigt die bloß ästhetische Dimension und reicht auch ins Kosmologische und sogar ins Politische. Denn Schönheit ist für ihn zugleich ideale Ordnung und Verhältnismäßigkeit: Harmonie. Daher erklärt sich die für den modernen Leser befremdende Einbeziehung der Staats- und Hausverwaltung sowie der Gesetzgebung in den Bereich des Schönen. Es geht um die Schaffung und

Wahrung der angemessenen Ordnung, der richtigen Verhältnismäßigkeit und des hieraus entstehenden Einklangs als eines verkleinerten Nachvollzugs der großen kosmischen Harmonie. Diese nicht nur sittlich wertvolle, sondern auch wesenhaft »schöne« Tätigkeit des Ordnens heißt im ›Symposion‹ »Diakosmesis«, ein Begriff, in dem der des Kosmos enthalten ist.
Der Entwurf der besten staatlichen Ordnung beschäftigte Platon ein Leben lang. Seine größten Schriften sind ›Der Staat‹ und ›Die Gesetze‹. Der Versuch, sein Staatsideal auch zu verwirklichen, verband sich für ihn mit einem tiefgreifenden persönlichen Erlebnis: mit seiner Freundschaft zu Dion. Ihr gemeinsames Bemühen galt dem »schönsten Teil der Weisheit«, der Schaffung einer idealen politischen Ordnung. Schon bei seinem ersten Aufenthalt in Sizilien zu Anfang der achtziger Jahre hatte Platon in Dion, dem Schwager des Tyrannen von Syrakus, einen für seine Ideen rasch begeisterten Anhänger gefunden, und von ihm wurde er nach dem Regierungswechsel knapp zehn Jahre später aufgefordert, ein zweites Mal zu kommen; denn nun bestehe Hoffnung, den Staat von Syrakus in seinem Geiste neu zu ordnen. Er kam noch ein drittes Mal. In seinem siebten Brief berichtet Platon von alledem – auch vom Scheitern ihrer gemeinsamen Pläne.

In Platons ›Apologie‹ beruft sich Sokrates auf sein »Daimonion«: auf seine unbezwingbare innere Stimme. Im ›Symposion‹, wo Diotima einmal vom »dämonischen Mann« spricht, denkt man deshalb sogleich an Sokrates. Zu diesem »Dämonischen« gehört die unbedingte Innerlichkeit und, dem Wesen des »Daimons« Eros entsprechend, die Fähigkeit zur Erhebung ins Geistige. Mit seiner geistigen Schöpferkraft verbindet Sokrates das Vermögen, auch in anderen Menschen schöpferische Kräfte freizusetzen. Dies ist seine berühmte »Hebammenkunst«. Vollends deutlich wird der Ausnahmecharakter des Sokrates, wenn Diotima ihm als dem »dämonischen Mann« den »Banausen« entgegensetzt. Sokrates erhebt sich über die Normalwelt banaler Bedürfnisse und üblicher Wertungen. Ja, er ragt überhaupt über menschliches Normalmaß hinaus: Die Beschreibung des Daimons Eros ist in allen Einzelzügen auf ihn hin entworfen – er ist geradezu die Verkörperung des Dämonischen. Genial hieße ein solcher Mann heute. Tatsächlich trug die Rückbesinnung auf die Sokrates-Gestalt zur Genie-Vorstellung des 18. Jahrhunderts bei. Das lag auch deshalb nahe, weil »Genius« für die Römer dasselbe war wie für die Griechen »Daimon«.

Das Bild des Sokrates erhält bei aller Idealisierung doch auch individuelle Züge. Vor allem im Schlußteil des ›Symposions‹, in der Rede des Alkibiades gedenkt Platon der unvergleichlichen Persönlichkeit des Mannes, dem in der Jugend seine Verehrung galt. Was wahrhaft platonische Liebe ist, zeigt das Porträt des großen Erotikers Sokrates. Nach außen silenhaft häßlich, birgt er in seinem Innern Schönheit, goldstrahlend wie ein Götterbild. Wie kein anderer vermag der vom geistigen Eros Ergriffene seinerseits zu ergreifen. Ein Zauberer ist er, betörend wie ein Flötenspieler. Unmöglich, der Ausstrahlungskraft dieses vom Eros erfüllten Mannes zu widerstehn, während er selber gegen jede homoerotische Versuchung gefeit ist. Alkibiades ist dafür Zeuge.

In seiner Ode ›Sokrates und Alkibiades‹ hat Hölderlin die Freundschaft der beiden in folgende Verse gefaßt:

›Warum huldigest du, heiliger Sokrates,
Diesem Jünglinge stets? kennest du Größers nicht?
Warum siehet mit Liebe,
Wie auf Götter, dein Aug' auf ihn?‹

Wer das Tiefste gedacht, liebt das Lebendigste,
Hohe Jugend versteht, wer in die Welt geblickt,
Und es neigen die Weisen
Oft am Ende zu Schönem sich.

In Platons ›Symposion‹ dagegen huldigt gerade umgekehrt der jüngere dem älteren Mann: Der Schöne neigt sich zum Weisen, ja zum Weisesten nach dem Spruch des Delphischen Gottes und zum »gerechtesten der damals lebenden Menschen« nach dem Schlußwort des ›Phaidon‹; und er huldigt ihm, indem er die zwei anderen der vier Kardinaltugenden: Tapferkeit und Selbstbeherrschung an ihm preist. Der in jeder Hinsicht Maßlose rühmt an Sokrates gerade die Fähigkeit zum Maßhalten.

Im Gegensatz zu Diotimas Schule der Erotik, die auf ein überpersönliches, ideelles Ziel gerichtet ist, stellt Alkibiades Eros aus persönlichem Erleben dar. Selbsterlebtes fließt auch in die Erzählung der Episoden von Poteidaia und Delion mit ein, die Brecht in seiner Kalendergeschichte ›Der verwundete Sokrates‹ ausgemalt hat. Diese Episoden illustrieren die außerordentliche körperliche Leistungskraft des Sokrates, seine Tapferkeit und seinen ausdauernden Mut. Nicht zuletzt durch diese Beispiele sind Selbstbeherrschung und Standhaftigkeit zum Merkmal des Weisen für alle Zeiten geworden.

Wie sich Sokrates durch Selbstbeherrschung auszeichnet, so auch durch Selbsterkenntnis. Der wahrhaft Weise ist sich seines Nichtwissens stets bewußt, während sich der typische Wissenschaftler, wie Eryximachos, stolz als Vielwisser ausweist. Durch diese Bescheidenheit in seinem Wissensanspruch rückt Sokrates für die Hellenen zur Vorbildfigur schlechthin auf. In der griechischen Kultur hatte ja der Maßgedanke und das Begreifen der eigenen Grenzen zentrale Bedeutung. Die sieben Weisen, so berichtet Platon in seinem Dialog ›Protagoras‹, weihten »als Erstlinge ihrer Weisheit dem Apollon für den Tempel zu Delphi jene Inschriften, die in aller Munde sind, ›Erkenne dich selbst!‹ und ›Nichts im Übermaß!‹«[16] Die Losung »Erkenne dich selbst!« meint vor allem die Erkenntnis der eigenen menschlichen Grenzen. Sieht man das Sokrates-Porträt des Alkibiades im weiteren Zusammenhang des hellenischen Maßgedankens wie auch der kanonischen Kardinaltugenden, so ist Platons Stilisierungstendenz unverkennbar.

Natürlich ist es ein dankbares Sujet für das ›Trinkgelage‹, daß sich am Schluß der weiseste Mann auch als der trinkfesteste herausstellt. Bei aller robusten Vitalität und Genußfähigkeit hat sich Sokrates stets in der Hand. Wie er angesichts sinnlicher Schönheit nicht die Besinnung verliert, büßt er selbst durch viel Wein nicht seine Nüchternheit ein. Die in der Tradition als ideale dichterische Verfassung geltende »nüchterne Trunkenheit«, die noch Goethe im Schenkenbuch des west-östlichen Divan preist, verkörpert sich in diesem immer inspirierenden, weil selbst inspirierten Weisen. Noch am Ende des Zechgelages erscheint er als mächtiger Anreger sogar für die Dichter.

Das »Maß« dieses für sein Maßhalten berühmten Mannes ist allerdings ein außergewöhnliches. Gerade der kräftigste Zecher bleibt nüchtern, der Liebesfähigste besonnen. Auf Sokrates anspielend sagt Hölderlin in seiner Rhein-Hymne: »Nur hat jeder sein Maß. / ... Ein Weiser aber vermocht es / Vom Mittag bis in die Mitternacht, / Und bis der Morgen erglänzte, / Beim Gastmahl helle zu bleiben.«

Die Gestalt des Sokrates ist ein einziges Paradox. Ein struppiger, meist barfüßiger Philosoph, unentwegt auf der Suche nach jungen Leuten, die ihm zuhören, materiell bedürfnislos, intellektuell jedoch unersättlich, immer nach dem richtigen Weg forschend; einer, der, wenn er gerade einen Einfall hat, sich an keine gesellschaftliche Regel mehr hält: so kommt Sokrates zu Agathons Gastmahl zu spät, oder er bleibt draußen die Nacht über bei Poteidaia sinnend stehen. Das alles wirkt unkonventionell, ja nonkonformistisch. Und gerade dieser Mann ist Inbegriff der rechten inneren Ordnung und des rechten Maßes, weil Verkörperung der »Tugend« wie kein anderer. Dennoch tritt er nicht als Tugendapostel auf. Im Gegenteil, seine silenhafte Kauzigkeit läßt die verborgene Geistesschönheit kaum ahnen. Er spielt den draufgängerischen Liebhaber, den »gewaltigen Jäger«, und verfolgt doch ein Ziel jenseits aller Sinnlichkeit. Er verhüllt es mit der ihm eigenen Meisterschaft der Ironie. Über diese geistige Waffe – die berühmte »sokratische Ironie« – erfahren wir Näheres erstmals im ›Symposion‹.

VII. Platons ›Symposion‹ und die Akademie

In der Akademie, einem nordwestlich von Athen gelegenen Parkgelände mit Gymnasion, gründete Platon etwa 387 seine Schule. Diese berühmteste Bildungsstätte des Altertums hielt ihren Lehrbetrieb neun Jahrhunderte hindurch aufrecht. Ihr Name hat bis heute Geltung. Sie verdankt ihn dem Heros Akademos, einem in der örtlichen Flur verehrten Genius loci.
Im Heiligen Bezirk der »Akademeia«, so liest man in

den ›Wolken‹ des Aristophanes, übte sich unter »heiligen Ölbäumen« die Jugend Athens im Lauf. In poetischen Worten beschreibt er den Hain: Der junge Mann gehe dort an der Seite des Freunds »mit lichtgrünem Schilflaub die Stirne bekränzt . . . / von Eiben umduftet und müßiger Ruh' und den silbernen Blättern der Pappel, / in der Wonne des Frühlings, wenn flüsternd hin zu der Ulme sich neigt die Platane«.[17] Idyllisch war auch die Landschaft, in der diese baumreiche Sportstätte lag: nahe dem Kephisos-Fluß und dem Kolonos-Hügel, kaum eine halbe Wegstunde vor den Toren der Stadt. Im ›Ödipus auf Kolonos‹ hat Sophokles diese Gegend verklärend besungen.[18]

Die Gymnasien waren in jeder griechischen Polis das eigentliche Zentrum körperlicher und musisch-geistiger Bildung für Knaben und Männer. Eine solche Anlage umfaßte nicht nur verschiedene Sportstätten, sondern meist auch einen Säulenhof. An dessen Hallen fügten sich unter anderm sogenannte Exedren, zum Hof hin offene Räume mit halbkreisförmigen Bänken für Aufenthalt und Unterricht. Dort fanden die Philosophen unter den Heranwachsenden ihre Gesprächspartner.

Im Akademie-Gymnasion muß sich auch Sokrates immer wieder aufgehalten haben. Jedenfalls erzählt er zu Beginn des Dialogs ›Lysis‹, er sei »von der Akademie schnurstracks zum Lykeion den Weg außerhalb der Stadtmauer gegangen«. Auch am Ende des ›Symposions‹ bricht er ins Lykeion auf. Dieses Gymnasium, von dem sich das »Lyzeum« herleitet, war die spätere

Wirkungsstätte des Aristoteles. Wie Sokrates lehrte Platon zunächst wohl im öffentlichen Gymnasion der Akademie. Später kaufte er ein Parkgrundstück in der Nähe, wo er wahrscheinlich selbst wohnte und seine Schüler um sich versammelte.

Platon hat seine Akademie als eine Hochschule mit wissenschaftlichem Anspruch betrachtet. Der Ausbildung in der Philosophie ging das Studium der mathematischen Wissenschaften voraus. Auf die grundlegende Bedeutung, die ihnen zugemessen wurde, verweist die Inschrift, die über dem Eingang der Akademie stand: »Ohne Kenntnisse in der Geometrie trete niemand hier ein!« Die Ausbildung und die pädagogischen Aufgaben der Philosophen beschreibt Platon im ›Staat‹. Im wesentlichen entspricht die dort geforderte Erziehung dem Ideal, das in der Akademie verwirklicht werden sollte.

Das ›Symposion‹ erscheint in anderer Hinsicht wie eine Programmschrift der ein paar Jahre zuvor gegründeten Schule. Denn Eros, den die Teilnehmer am Trinkgelage preisen, ist ein sublimiert päderastischer und damit auch pädagogischer Eros. Daß sich Eros bei den Hellenen seit jeher mit sittlicher und geistiger Bildung verband, wissen wir nicht zuletzt aus der Rede des Pausanias im ›Symposion‹. Nach den traditionellen Anschauungen sollte der ältere Freund stets auch der Erzieher des jüngeren sein. Päderastie, »Knabenliebe«, und Pädagogik, »Knabenführung«, gehörten zusammen. Platon wertet nun radikal neu: nicht mehr Eros selbst ist der eigentliche Zweck, dem auch das erzieherische Wirken dient, sondern Eros wird zum Mittel, das zu einem anderen, höchsten Zweck erzieht. In diesem Sinn kommt dem päderastischen Eros pädagogischer Wert zu. Unmittelbar vor ihrer Hinführung zur Ideenschau spricht Diotima von dem, der bis zu dieser höchsten Vollkommenheit im Erotischen »erzogen«, das heißt »durch die rechte Art der Knabenliebe« zu ihr gelangt sei. Und zuvor sagt sie, wer einem Menschen begegnet, den Leibes- und Seelenschönheit auszeichnet, »wird beides an ihm lieben und sich gedrängt fühlen, über Vollkommenheit zu ihm zu sprechen ... und ihn zu bilden«.[19] Der von Diotima im Gleichnis des Mittlers gefaßte Eros ist also Mittel zum höchsten Ziel allen Lernens, und zugleich vermittelt er als »Medium« zwischen Lehrer und Lernendem.

Das Miteinander von Lehrenden und Lernenden in der Akademie wurde noch verstärkt durch eine Lebensgemeinschaft nach pythagoreischem Vorbild (Platon hatte sich während seiner ersten Sizilischen Reise auch bei den Pythagoreern in Unteritalien aufgehalten). Die »Akademiker« vereinten sich nicht nur zu Lehrvorträgen, Diskussionen und Forschungsaufgaben, sie bildeten außerdem einen den Musen geweihten Kultverein. Dem kultischen Charakter der Gemeinschaft gemäß fand man sich auch zu Trinkgelagen zusammen. Der tagtägliche, immer wieder festlich überhöhte Umgang mit den jungen Menschen und die Ausrichtung auf die höchsten Erkenntnisgegenstände ließ die ideale Atmosphäre für das akademische Wirken im Sinne Platons entstehen. Da mochte es am ehesten geschehen, was

Platon an die Verwandten und Freunde Dions im Siebten Brief schrieb: daß »aus dem langen Umgang und dem Zusammenleben mit dem Gegenstand plötzlich – wie aus einem Funken sich Licht entzündet – die Idee in der Seele entspringt«.[20] Ähnlich sagt es Diotima von dem, der weit genug »in der Schule der Liebe geführt sei«: »Plötzlich« werde er der Idee inne. Mit ihr sei er wie mit dem Geliebten »vereint«.

Am Eingang des Akademie-Gymnasions befand sich seit alters ein Standbild des Eros mit einem dem Gotte geweihten Altar.

Die platonische Liebe in der europäischen Philosophie und Literatur

Die Wirkungsgeschichte von Platons ›Symposion‹ ist durch Plotin, durch die italienische und französische Renaissance, durch den Cambridger Platonismus und schließlich durch den Deutschen Idealismus zu einem Element der abendländischen Geistes- und Kulturgeschichte geworden. Die Wirkungen in der griechischen und römischen Antike vor Plotin sind lediglich epigonaler Art. In der Nachfolge Platons schrieb man zahlreiche – meist verlorengegangene – Abhandlungen über den Eros, ja man wählte gern die literarische Form eines Gesprächs beim Gelage, um ein beliebiges Thema zu traktieren. Diese Mode reichte von Xenophons ›Symposion‹, in dessen Zentrum ebenfalls Sokrates steht, über ein verlorenes Werk gleichen Titels, das im Katalog der Aristotelischen Schriften genannt wird, bis zur römischen Antike, wo etwa Maecenas, der großzügige Gönner des Vergil und des Horaz, dieses literarische Genre gepflegt hat.

Die entscheidende Vermittlungsinstanz des Platonismus zwischen Antike und Neuzeit ist Plotin (204-270 n. Chr.), der zuerst in Alexandria lebte und später in Rom als philosophischer Lehrer auftrat. Die Schriften Plotins, den man geradezu als Wiederverkörperung Platons auffaßte, wirkten auf Augustinus und auf Boe-

thius, den Kanzler Theoderichs, sie beeinflußten im 5. Jahrhundert Proklos, den »Hegel des Altertums«, dessen systematischer Neubau des Platonismus über das Mittelalter bis zu Nikolaus von Kues wirkte. Plotin inspirierte ebenso die islamische wie die christliche Mystik. Nachdem der Florentiner Marsilio Ficino (1433-1499) außer den Werken Platons auch diejenigen Plotins aus dem Griechischen übersetzt hatte, begann die große neuzeitliche Wirkung jener Überformung des platonisch-griechischen Geistes durch plotinisch-mystische Religiosität, deren Ergebnis man mit dem Begriff ›Neuplatonismus‹ bezeichnet.
Auf Platons ›Symposion‹ und die darin enthaltene Eroslehre griff Plotin in zwei seiner Schriften zurück: in der Abhandlung ›Über das Schöne‹ und in dem Aufsatz ›Über den Eros‹. Die Schrift über das Schöne gehört zu den eindrucksvollsten in Plotins Werk. Dichterisch beschwingt nimmt sie Grundgedanken des Platonischen ›Symposion‹ auf, vor allem den der Sublimation vom Sinnlichen zum Geistigen. Der Weg führt von der Schönheit der Erscheinungen zu der höchsten Schönheit des Absoluten, das mit dem Guten und der Gottheit identisch ist. Es gehört ins Reich der Ideen. Und wie bei Platon ist Eros die Kraft, die zu den immer höheren Stufen der »Schau« emporträgt. Doch leitet bei Plotin nicht allein Eros zum Höchsten, sondern auch die entschlossene »Reinigung« der Seele von allem Irdischen. Mit dieser neuartigen Idee der Reinigung und Befreiung knüpft Plotin ausführlich an die Riten der Mysterienkulte an, die Platon nur kurz streift.

Neuartig ist bei ihm auch die entschiedene Wendung zur Verinnerlichung, zum Seelenhaften, während bei Platon das Geistig-Intellektuelle vorherrscht. Nicht auf die erkenntnishafte Schau des Höchsten kommt es bei Plotin so sehr an als auf die – bei Platon schon angedeutete, aber noch nicht so wesentliche – identifikatorische Schau. In ihr wird der Schauende mit dem Geschauten seelisch eins. Dies ist mystisch. »Man muß nämlich«, bemerkt Plotin, »das Sehende dem Gesehenen verwandt und ähnlich machen, wenn man sich auf die Schau richtet«, und er läßt die Worte folgen, die Goethe aufgriff und berühmt machte: »Kein Auge könnte je die Sonne sehen, wäre es nicht sonnenhaft«. »So sieht auch«, fügt er hinzu, »keine Seele das Schöne, welche nicht schön geworden ist. Es werde also gottähnlich und ganz schön, wer Gott und das Schöne schauen will«.

In seiner kleinen Schrift ›Über den Eros‹ greift Plotin auf Platons Mythos von der Geburt des Eros aus Armut und Reichtum zurück, aber er allegorisiert Platons Darstellung, indem er die Gottheiten, darunter auch Eros selbst, auf abstrakte Begriffe wie »Geist« und »Seele« reduziert. Schon in dieser Schrift Plotins ist Platons Unterscheidung von himmlischer und irdischer Liebe zentral – in der späteren Tradition erhält sie außerordentliche Bedeutung bis in die bildende Kunst hinein.

Der Platonismus des Mittelalters wie der Renaissance ist weitgehend ›Neuplatonismus‹, wie er von Plotin begründet worden war und von dem heidnischen Proklos (410-485) über den christlichen Dionysius Areopagita (um 500) und Scotus Eriugena, der Dionysius Areopagita ins Lateinische übersetzte, bis zur Schule von Chartres (um 1200), zu Meister Eckhart (etwa 1260-1328) und Nikolaus von Kues (1401-1464) und endlich zu Marsilio Ficino reichte, durch dessen Vermittlung er dann nach Frankreich und England ausstrahlte. Sein allgemeinstes Kennzeichen ist Mystifizierung und Theologisierung des ursprünglich philosophischen Ansatzes: Die Philosophie erhebt nun zugleich den Anspruch, Religion zu sein. Schon für Proklos war der Philosoph der »Hierophant der ganzen Welt«.

Das Mittelalter kannte zwei Grundeinstellungen gegenüber religiösen Fragen: eine mystisch-kontemplative und eine scholastisch-rationalistische. Mit der ersten verband sich der Platonismus, mit der zweiten der Aristotelismus. Während der Aristotelismus entschieden vorherrschte, bildete der mystisch-platonische Geist, der über Augustin, Boethius und Dionysius Areopagita in das mittelalterliche Denken eingedrungen war, lediglich eine Unterströmung. Auch die beschränkte Kenntnis von Platons Schriften behinderte eine stärkere Aufnahme seiner Philosophie. Neben der platonischen Naturphilosophie, wie sie im ›Timaeus‹ durch eine lateinische Übersetzung des Chalcidius vorlag, rezipierte man die neuplatonische Emanationslehre und die Lichtmetaphysik. Außer dem ›Timaeus‹ kannte man im 12. Jahrhundert lediglich einen Teil des ›Phaidon‹ und den ›Menon‹. Erst seit dem 15. Jahrhundert traten die übrigen Dialoge, und unter ihnen besonders das ›Symposion‹ ins Blickfeld: durch die für die italienische Renaissance und den gesamteuropäischen Platonismus einflußreiche Übersetzung und Kommentierungsleistung des Marsilio Ficino. Der Eros und das Schöne, das waren der ästhetischen Kultur der Renaissance adäquate Themen. Marsilio Ficino übersetzte aber nicht nur Platons Dialoge. Er schuf auch eine Plotin-Übersetzung, und so kam bei ihm nach der schon traditionellen »neuplatonischen« Überformung Platons noch eine ganz eigene intensive Durchmischung zustande. Ästhetische Faszination und mystische Religiosität gingen einen Bund ein. Dazu traten noch Astrologie, Magie und andere schon im früheren Neuplatonismus typische Kuriositäten. Der Kristallisationskern für diese Art von idealistisch-mystischer Geistigkeit ist Platons ›Symposion‹. Marsilio Ficino reicherte es in seinem Kommentar »neuplatonisch« an.

Diese hochspekulative Dimension des neuzeitlichen Platonismus ist nicht die einzige, und es scheint wichtig, die anderen Dimensionen wenigstens anzudeuten. Im Horizont der modernen Naturwissenschaften wurde Platon durch ganz andere Werke: durch den ›Menon‹, den ›Theätet‹ und ›Sophistes‹ interessant. Für diese Wirkung stehn die Namen Kepler und Galilei. Und später erkannte Leibniz klar die neuplatonische Überwucherung des ursprünglichen Platon. »Es gilt«, so schrieb er, »Platon aus seinen eigenen Schriften zu verstehen, nicht aus Plotin oder Marsilius Ficinus, die dadurch, daß sie stets nur dem Wunderbaren und My-

stischen nachgingen, die Lehre dieses großen Mannes verfälscht haben . . ., die späteren Platoniker haben die treffliche und gegründete Lehre des Meisters über Tugend und Gerechtigkeit, über den Staat, über die Kunst der Begriffsbestimmung und Begriffseinteilung, über das Wissen von den ewigen Wahrheiten und über die eingeborenen Erkenntnisse unseres Geistes in den Hintergrund geschoben . . . Denn die Pythagoreer und Platoniker, Plotin und Jamblichus, ja selbst Proklos waren völlig in abergläubischen Vorstellungen befangen und rühmten sich der Wunder . . . Wer aber unbefangen und gehörig vorbereitet an Platon selbst herantritt, der wird in ihm wahrhaft heilige Moralgebote, die tiefsten Gedanken und einen wahrhaft göttlichen Stil finden, der bei all seiner Erhabenheit doch stets die höchste Klarheit und Einfachheit bekundet.«
Die Florentiner Renaissance hatte den Zugang zur griechischen Antike und besonders zu Platon seit dem Ausgang des 14. Jahrhunderts durch eine Reihe von griechischen Gelehrten gefunden, die an die Ufer des Arno kamen. Dort sei, verkündete Angelo Poliziano in stolzem Rückblick fast ein Jahrhundert später, die Kultur und Philosophie Athens neu erstanden. Im Jahre 1397 führte als erster der griechischen Gelehrten Manuel Chrysolaras das Studium der griechischen Sprache und Literatur ein. Alsbald entstand im Kreise Florentiner Humanisten der große Plan, Platons Gesamtwerk zu übersetzen. Nachdem Chrysolaras gemeinsam mit Umberto Decembrio den ›Staat‹ ins Lateinische übersetzt hatte, übertrug sein Schüler Leo-

nardo Bruni den ›Phaidon‹, ›Gorgias‹, ›Phaidros‹, die ›Apologie‹ und ›Kriton‹ sowie die Briefe Platons. Im Jahre 1438 wurde das Unionskonzil, das zur Wiedervereinigung der griechisch-byzantinischen und der römisch-katholischen Kirche führen sollte, nach Florenz verlegt, und damit kamen weitere griechische Gelehrte, die Platons Philosophie propagierten. Die Platon-Vorlesungen des Georgios Gemistos Plethon wirkten so stark, daß Cosimo de Medici den Plan faßte, in Florenz eine Platonische Akademie zu gründen. Doch war Plethon noch kein durchschlagender Erfolg beschieden, weil seine Gegnerschaft zu dem noch immer vorherrschenden Aristotelismus und seine neuheidnisch ablehnende Haltung gegenüber dem Christentum nicht opportun waren. Erst die Gelehrten, die sich vornahmen, Platon und Aristoteles zu vermitteln und die platonische Philosophie mit der christlichen Religion zu verschmelzen, kamen zum Zuge.

Der erste unter ihnen, Kardinal Bessarion, war ein Schüler Plethons und ebenfalls Grieche. Seine Schrift ›Adversus calumniatorem Platonis‹ (›Gegen einen Verleumder Platons‹, 1469) hatte großen Erfolg. Im vierten Buch dieser Kampfschrift gegen einen Aristoteles-Dogmatiker, der Platon in ganz unangemessener Weise herabgesetzt hatte, wurde das ›Symposion‹ und besonders die Rede des Sokrates als die wahre Meinung Platons in helles Licht gerückt. Die Idee, Eros sei die Kraft, die den Menschen vom Körperlichen zum Geistigen und Ewigen transzendieren läßt, die Verwandlung des erotischen Verlangens in eine geistige Leidenschaft, der höhere Rang der geistigen Schönheit gegenüber der körperlichen – das alles stellte Bessarion eindrucksvoll dar, so wie überhaupt sein Werk die platonische Philosophie aus voller Textkenntnis zum ersten Mal überzeugend entwickelt. Die Brücke zum Christentum schlug Bessarion, indem er den platonischen Erosbegriff mit der Idee der christlichen Gottesliebe zusammenbrachte. In der Eroslehre, so zeigt Bessarion, führt eine gerade Linie von der platonischen Antike zur christlichen Neuzeit, zu Augustin, Hieronymus, Dionysius Areopagita und vielen anderen.

Durch diese Verquickung des platonischen Erosbegriffs mit der christlichen Liebesidee erhält die Beschäftigung mit Platon eine christliche Legitimation gerade in der Gedankenwelt des ›Symposion‹. Bessarion, der Freund des Nikolaus von Kues, interpretierte aber Platon nicht nur aus dem Geiste des Christentums, sondern auch aus dem Geiste plotinischer Mystik. Denn die platonisch-plotinische Mystik bildet für ihn die natürliche Vorstufe der christlichen Theologie. Und weil dies so ist, erhält Platon, der auf das Allgemeine, Ideelle, Höhere und Jenseitige ausgerichtete Denker, gegenüber dem eher auf das Einzelne, Konkrete und Diesseitige orientierten Aristoteles trotz aller Ausgleichsbemühungen den Vorrang. Er erscheint als der dem Christentum zuinnerst verwandte Philosoph. Das war wichtig für die volle Emanzipation der Beschäftigung mit Platon gegenüber dem bis dahin dominierenden Aristotelismus. Und kein Werk Platons schien so geeignet, dies zu demonstrieren, wie das ›Symposion‹

mit seiner Lehre von der transzendierenden Energie des Eros.
Zur zentralen Figur des Florentiner Platonismus wurde Marsilio Ficino. Durch Augustinus angeregt sah auch er die Möglichkeit einer Versöhnung des Platonismus mit dem Christentum. Dies wurde zum Leitmotiv seiner Beschäftigung mit Platon. Schon frühzeitig war Cosimo de Medici auf Marsilio Ficino aufmerksam geworden. Ihn hielt er für fähig, den alten Plan einer Platonischen Akademie zu verwirklichen. In der Zurückgezogenheit der Villa von Careggi, die ihm der Medicäer geschenkt hatte, nahm Ficino das große Werk einer Übersetzung Platons ins Lateinische in Angriff. Um sich versammelte Ficino in dieser Zeit eine Schar hochgebildeter Männer – die ersten Anfänge der alsbald entstehenden Platonischen Akademie. Nach dem Tode Cosimos (1464) wurde Ficino von dessen Sohn Piero (1464-1469) weitergefördert. Aber erst in der Zeit Lorenzo de Medicis, der 1469 auf seinen Vater Piero folgte und bis 1492 regierte, blühte der Florentiner Platonismus ganz auf. Marsilio Ficino vollendete seine Platon-Übersetzung, schrieb seine philosophischen Hauptwerke: die ›Platonische Theologie‹ und die Abhandlung ›Über die christliche Religion‹, und nicht zuletzt seinen epochemachenden Kommentar über Platons ›Symposion‹, dessen verlorene lateinische Erstfassung wahrscheinlich schon in den Jahren 1468/69 entstand. Auf Anregung Lorenzo de Medicis übersetzte er ihn später ins Italienische. Durch diese Übersetzung hat dann die Platonische Eroslehre das

Denken und Dichten der italienischen, französischen und englischen Renaissance entscheidend geprägt.
In Florenz selbst wirkten Platon und sein ›Symposion‹ nicht allein auf das geistige, sondern auch auf das gesellschaftliche Leben der Gebildeten ein. Denn die Mitglieder der Platonischen Akademie, die aus den Zusammenkünften in Ficinos Villa entstanden war, trafen sich zwar hauptsächlich, um im Hinblick auf Platons Werk philosophische und literarische Probleme zu erörtern – einen Einblick in diese Diskussionen der Akademie, die noch nicht fest geregelt und institutionalisiert war wie die modernen wissenschaftlichen Akademien, gewähren die ›Camaldulensischen Disputationen‹ des Cristoforo Landino; aber neben dem gelehrten Gespräch fanden in bewußter Anlehnung an Platons ›Symposion‹ auch Gelage statt. Ein besonderer Anlaß dafür war jeweils der 7. November, der nach der Überlieferung sowohl der Geburts- als auch der Todestag Platons sein sollte. Auf das festliche Mahl der Akademiker folgten Diskussionen, umrahmt durch musikalische Darbietungen. Ficino selbst rühmt in einem seiner Briefe die Vorzüge eines solchen philosophisch und musisch überhöhten Mahles. Ein derartiges Mahl, schreibt er, »kräftigt das Gemüt, erholt den Geist, ergötzt die Sinne, belebt und befeuert den Verstand. Ein Gastmahl beschert Ruhe nach der Arbeit, Vergessenheit der Sorgen, es fördert die natürliche Begabung, es ist ein Stützpunkt der Liebe und der Großzügigkeit, es ist die Würze der Freundschaft, Quell der Dankbarkeit, Trost im Leben.«

In der uns allein erhaltenen zweiten Fassung seines Symposion-Kommentars wählt Ficino als Rahmen eine Zusammenkunft, die im Jahre 1474 in der Villa von Careggi stattfand. Nach der Mahlzeit verlas man Platons ›Symposion‹ und die Gäste übernahmen es, die einzelnen Reden in Platons Werk zu erläutern. Da das Ganze eine Fiktion Ficinos ist, stammen die Reden, die er den einzelnen Teilnehmern zuschreibt, natürlich von ihm selbst. Das ursprüngliche Platonische Motiv der Liebesfreundschaft vom Manne zum Knaben wird ganz verdrängt, denn dafür war in der modernen Minnekultur, wie sie sich seit den Provenzalen ausgebildet hatte, sowenig Platz wie im Horizont der christlichen Liebesvorstellung. Und während es bei Platon um den Aufstieg des vom Eros beseelten Geistes zur Schau des Absoluten geht, fügt Ficino noch die komplementäre Idee eines Abstiegs Gottes in die Welt hinzu: Die höchste Schönheit, Gott, ergießt sich in überfließender Liebe in die Welt herab. Plotinische und zugleich christliche Vorstellungen verschmelzen sich in dieser Emanationslehre. Es gibt demnach eine kreisförmige Bewegung der Liebe bei Ficino: die Liebe, die von Gott zur Welt hinabsteigt, und die Liebe, die aus der Welt zu Gott hinaufführt. Eros als »divino amore« wirkt zugleich in Gott und Mensch. Er veranlaßt, daß Gott aus sich heraustritt und sich in die Welt hinabläßt, um sich in ihr zu offenbaren; und zugleich ist er die Kraft, die den Menschen aus der Vielfalt der Erscheinungen zu Gott als seinem intelligiblen Einheitsgrund zurückführt. Daraus folgt auch, daß die Liebe des Menschen in der weltlichen Sphäre immer schon eine unbewußte Liebe zu Gott ist, der sich ja in die Welt herabbegeben hat. Die stufenweise voranschreitende Sublimationsbewegung des Platonischen Eros von der niederen Sphäre der Sinnlichkeit bis zur höchsten geistigen Sphäre und die Plotinische Hypostasenlehre mit ihrer genauen Abstufung der Seinssphären nach dem Grad ihrer Nähe zum Absoluten führt bei Ficino zu einem fünfstufigen Aufbau der Seinssphären, die aber durch den Eros dynamisch miteinander verbunden sind. Nicht zuletzt enthält Ficinos Lehre von der alldurchdringenden Liebe, vom Wirken Gottes in jeder weltlichen Erscheinung, schon die Ansätze zu dem Pantheismus eines Giordano Bruno. Ficino aber will den Boden des Christentums noch keineswegs verlassen; im Gegenteil, er sieht seinen Entwurf als eine Vereinigung von Philosophie und Religion, wie sie der ursprünglichen Einheit von Priester und Philosoph entspricht. Die wirkliche Philosophie ist zugleich Religion – und dies zeigt beispielhaft die vom Eros ausgehende Bewegung des Geistes zum Absoluten in Platons ›Symposion‹.

Nach Ficinos Symposion-Kommentar vermittelte Pico della Mirandola die platonische Eroslehre den Zeitgenossen und der Nachwelt durch seinen 1486 erschienenen Kommentar zu einem zeitgenössischen volkssprachlichen Text: zu Girolamo Benivienis ›Canzone dell' Amor divino‹. Die sich darin ankündigende Symbiose von Platonismus und italienischer Dichtung ist ein wichtiger Vorgang. Er läßt sich auch in retrospektiven Deutungen der früheren italienischen Literatur beobachten. Ficino legte die Platonische Eroslehre in Dante und Cavalcanti und damit auch in den ›dolce stil nuovo‹ hinein. In der Einleitung zu seiner italienischen Übersetzung von Dantes ›Monarchia‹ forderte er deshalb, Vergil und Dante seien gemäß dem Platonischen Gehalt ihrer Dichtungen zu interpretieren. In dieser Forderung bestärkte ihn die für ihn charakteristische Verbindung von platonischem Eros und christlichem Erlösungsstreben. Sie erlaubte es, einen direkten Zusammenhang von Platon über den christlich umgedeuteten Vergil bis zur Divina Commedia herzustellen. Übereinstimmend mit Ficino hat der bedeutendste Dichtungstheoretiker des Quattrocento, Cristoforo Landino, in seiner Interpretation der ›Aeneis‹ und der ›Divina Commedia‹ Vergil und Dante als Schüler Platons dargestellt. Beide hätten nämlich gezeigt, wie sich die menschliche Seele vom Irdischen zur Betrachtung Gottes erhebt. Diese Vereinnahmung der größten dichterischen Autoritäten, Vergils und Dantes, für Platon und gerade im Sinne des Platonischen ›Symposion‹ ist von kaum zu überschätzender Tragweite.

Neben Angelo Poliziano ist Lorenzo de Medici selbst, der Gönner Marsilio Ficinos und Beförderer der Platonischen Akademie, der bedeutendste Lyriker des Florentiner Quattrocento. Inspiriert durch die Philosophie seines Lehrers und Freundes Ficino schrieb er seine an der Platonischen Eroslehre orientierten Gedichte. Dabei identifiziert Lorenzo diese Liebeslehre zunächst mit dem Liebesbegriff des dolce stil nuovo: Die durch

das Verlangen nach Schönheit entzündete Liebe veredelt und erhöht den Liebenden, so wie es Dante schon dargestellt hatte. Aber unter dem immer stärkeren Eindruck der Platonischen Eroslehre überschreitet Lorenzo die Dimension des dolce stil nuovo. Die Geliebte wird ihm zum Symbol der überirdischen Schönheit, so daß die Liebe zu ihr letztlich der ewigen Schönheit gilt – und diese ist identisch mit der Liebe zu Gott, ganz wie es Ficino in seiner Verschmelzung von Platonischem Eros und christlicher Gottesliebe gelehrt hatte.
Weniger bedeutend als Lorenzo de Medicis Werke, aber doch bezeichnend für die Ausbreitung der Eroslehre des ›Symposions‹ in der Version Ficinos sind die Dichtungen des Girolamo Benivieni und des Giovanni Nesi. Benivieni stellte selbst fest, daß seine neun Stanzen ›Dell' amore celeste e divino‹, die später Pico della Mirandola unter dem Titel ›Canzona de amore‹ kommentierte, Ficinos Symposion-Kommentar in wenigen Versen zusammenfassen sollten. Neben derartigen Dichtungen nahmen mehrere ›Trattati d'amore‹ die Platonische Eroslehre in der durch Ficino vermittelten Form auf, so der ›Libro di natura d'amore‹ von Mario Equicola (1525) und die ›Dialoghi di amore‹ von Leone Ebreo (1535).
Besonders wirkungsvoll aber waren zwei »mondäne«, für die gebildete höfische Welt bestimmte Adaptionen der platonisch-ficinianischen Vorstellung vom Eros. Im Jahre 1505 erschienen die ›Asolani‹ des Pietro Bembo, die ihren Namen von dem Ort Asolo haben, wo sich Bembo im Jahre 1502 bei der Königin Caterina

von Cipro aufhielt. Er, der Dichter und Humanist von adliger Herkunft, der auch am Hofleben in Florenz und Ferrara teilnahm, Sekretär Leos X. in Rom war, in freundschaftlichem Verkehr mit der Herzogin Lukrezia Borgia stand, einen berühmten Briefwechsel u. a. mit Isabella d'Este und Vittoria Colonna führte und später noch die Kardinalswürde erhielt, in der ihn Raphael darstellte – er schrieb keine mystisch-theologische Abhandlung, wie es ja in erster Linie Ficinos Symposion-Kommentar selbst noch war, sondern eine elegante Unterhaltung, in der Damen und Herren der vornehmen Gesellschaft über den Eros plaudern. Nach mancherlei Legerem und Banalem, in dem Bembo gewissermaßen den Normalstandard bei der Behandlung dieses Themas vorführt, verkündet einer der Teilnehmer schließlich die Platonische Lehre vom Eros, der vom Sinnlichen zum Geistigen, vom Weltlichen zum Göttlichen emporleitet. Von noch größerer, ja gesamteuropäischer Wirkung war das alsbald berühmte Buch des Grafen Baldassare Castiglione, von dem Raphael ebenfalls ein bedeutendes Bildnis schuf. ›Il libro del Cortegiano‹ ist ein nach Platons Art gestalteter Dialog, in dem der Verfasser der vornehm-höfischen Gesellschaft den Weg zur edlen Lebensgestaltung wies. Insbesondere sollte dieses Buch dem französischen König François I., der es in Auftrag gegeben hatte, zur Stilisierung seines Hoflebens dienen. Das Thema der veredelnden und sublimierenden Kraft der Liebe schien dazu besonders geeignet. Der Erfolg war außerordentlich. Von 1528 bis 1587 erschienen 16 ita-

lienische Auflagen, nach der Übersetzung ins Französische von 1537 bis 1592 sechs französische Auflagen, und in England, wo der ›Cortegiano‹ 1562 von Sir Thomas Hoby übersetzt worden war (›The book of the Courtier‹), übte er während der elisabethanischen Epoche großen Einfluß aus, so auf Spenser und Shakespeares Sonette. Den ganzen vierten Teil seines ›Cortegiano‹ widmete Castiglione der platonisch-ficinianischen Eroslehre. Seine Darstellung ist lebendiger, seine gedankliche Spannweite größer als diejenige Bembos, mit dem er befreundet war und auf dessen Werk er anspielt. Der ›Cortegiano‹ entstand zum guten Teil in den Jahren 1513 bis 1516 am Hofe Leos X., wo sich Castiglione gemeinsam mit Michel-Angelo und Raphael aufhielt; veröffentlicht wurde er erst im Jahre 1528. Immer wieder erkennt man in Castigliones Buch, daß er nicht mehr nur auf Marsilio Ficinos Symposion-Kommentar, sondern schon auf Platons Text selbst zurückgreift, wenn auch wohl noch nicht auf den Urtext, der zum ersten Mal 1513 vorlag, sondern auf die lateinische Übersetzung durch Ficino.
Überhaupt hat man schon in den beiden letzten Jahrzehnten des 15. Jahrhunderts und vollends dann im 16. Jahrhundert auch mit der direkten Kenntnis und der unmittelbaren Wirkung von Platons ›Symposion‹ zu rechnen. Denn im Jahre 1482 war die erste Ausgabe von Ficinos lateinischer Platon-Übersetzung in Florenz erschienen, in der auch das ›Symposion‹ enthalten war. Und dann folgte, zum Zeichen des großen aktuellen Interesses für Platon, Auflage um Auflage: zwi-

schen 1482 und 1567 insgesamt 15 Editionen, von denen 7 in Frankreich gedruckt wurden. Der griechische Originaltext war vor der epochemachenden Edition des Henri Estienne im Jahre 1578 dreimal erschienen: 1513 als »Urausgabe« die venezianische Aldina, 1534 und 1536 zwei Baseler Ausgaben. Außerdem wurden viele der Platonischen Dialoge bereits einzeln gedruckt. Eine separate griechische Ausgabe des ›Symposion‹ erschien 1543, zwei französische Übersetzungen in den Jahren 1556 und 1558. Immerhin aber bleibt festzuhalten, daß im Frankreich des 16. Jahrhunderts das ›Symposion‹ hauptsächlich durch den inzwischen berühmten Kommentar des Marsilio Ficino wirkte. Die erste französische Übersetzung erschien im Jahre 1545, eine weitere in zwei verschiedenen Auflagen 1578, eine letzte, um eine Abhandlung von Pico della Mirandola erweiterte, im Jahre 1588. Ja, man muß sich vor Augen halten, daß Marsilio Ficinos Symposion-Kommentar zwar im letzten Drittel des Quattrocento geschaffen wurde und im italienischen, speziell im florentinischen Umkreis seine Wirkung entfaltete; daß aber auch in Italien die ersten gedruckten Ausgaben erst Jahrzehnte nach Ficinos Tod (1499) erschienen: im Jahr 1544. Das Erscheinungsjahr der ersten französischen Übersetzung des Symposion-Kommentars, 1545, zeugt von einem prompten Anschluß der Franzosen an das von Italien Gebotene. Er war einer Königin zu verdanken, die zur zentralen Gestalt des vom ›Symposion‹ und seiner Liebeslehre ausgehenden Platonismus in Frankreich wurde: Margarete von Navarra.

Schon zu Beginn des 16. Jahrhunderts, im Jahre 1503, war in Lyon, der klassischen Pforte für das Einströmen italienischer Kultur und italienischen Geistes nach Frankreich, das erfolgreiche ›Nef des dames vertueuses‹ aus der Feder des gelehrten Arztes Symphorien Champier erschienen. Es propagierte die platonisch-ficinianische Vorstellung vom Eros für die Damenwelt und die vornehme Gesellschaft. Das vierte Buch dieses Werks handelt von der »wahren Liebe« und übernimmt aus Marsilio Ficinos Kommentar viele Partien in wörtlicher Übersetzung. Außer mehreren unbedeutenden Autoren haben auch französische Dichter von Rang den tiefgreifenden Einfluß des ›Symposion‹ erfahren. Dazu gehört Héroet. Er übernahm den von Platon durch den Mund des Aristophanes erzählten Androgynenmythos in seinen ›Androgyne‹ (1536). Sein Hauptwerk ›Die vollkommene Geliebte‹ (›La parfaicte Amye‹, 1542) ist die Geschichte einer Frau, die aus ihrer Liebeserfahrung die Idee des platonischen Eros entwickelt. Die idealistische Auffassung der Liebe, die neben den modischen Einflüssen des Pietro Bembo und des Baldassare Castiglione vor allem auf Platons ›Symposion‹ selbst und auf Ficinos Kommentar zurückgeht, bestimmt dieses religiös-philosophische Liebesgedicht. Die Liebe, so der Grundgedanke, ist göttlichen Ursprungs. Aus den Erlebnissen der ›Parfaicte Amye‹ soll klar werden, daß die Liebe dem Menschen Seelenadel verleiht, daß sie ihm tiefe Einsichten gewährt und ihn auch äußerlich verschönt, und zuletzt, daß sie die wahrhaft Liebenden in das Reich ewiger Schönheit und Güte zu unsterblichem Leben führt. Ein anderer Dichter, Maurice Scève, stellte in seiner großen Versdichtung ›Délie, Obiect de plus Haulte Vertu‹ (1544) dar, wie sich ihm in der Schönheit der geliebten Frau schließlich das Ideal enthüllt, zu dem sich, jenseits aller sinnlichen Erfahrung, seine Seele erhebt. Auch mehrere Mitglieder der unter dem Namen der ›Pléiade‹ bekannten Dichtergruppe adaptierten die platonische Lehre vom Eros und von der Schönheit, wie sie aus dem ›Symposion‹ bekannt war, zusammen mit der Vorstellung des dichterischen Enthusiasmus, der Gotterfülltheit des inspirierten Dichters, die man aus Platons Dialog ›Ion‹ ableitete. Am meisten durchdrungen von diesem Platonismus ist Pontus de Thyard, aber auch die bedeutendsten Dichter dieser Generation, Du Bellay und Ronsard, sind in vielfacher Weise dem platonischen Kult des Eros und der Schönheit ergeben. Sie verleihen ihm lyrisch-wirkungsmächtigen Ausdruck, während alles Frühere doch noch oft im Lehrhaften blieb.

Das Zentrum des vom ›Symposion‹ inspirierten Platonismus im Frankreich des 16. Jahrhunderts ist die Verfasserin des ›Heptameron‹, Margarete von Navarra. Die etwa zehn Jahre jüngere Schule von Lyon mit Maurice Scève und der ganz platonisch denkende Antoine Héroet haben ihre großen Anregungen von der Königin empfangen. Ficinos Symposion-Kommentar wurde von gelehrten Angehörigen ihres Hofes ins Französische übertragen, und diese Übersetzungen waren bezeichnenderweise ihr gewidmet. Das ›Heptameron‹ selbst ist in den entscheidenden Aussagen zum Wesen der Liebe – um dieses Thema kreist das ganze Werk – von der platonischen Eroslehre geprägt, wie sie Ficino in plotinisch-mystischer und zugleich christlicher Ausdeutung vermittelt hatte.

Nach Boccaccios Vorbild ist das ›Heptameron‹ eine Novellensammlung: Eine gebildete Gesellschaft versammelt sich, ihre Mitglieder beschließen, Geschichten zu erzählen, und zwischen den Erzählungen, die das Liebesthema illustrieren, stellt man gemeinsame Erörterungen an. Dieser Rahmen von theoretischen Erörterungen erhält im Vergleich zu Boccaccio, wo der Rahmen nur gesellschaftlich auflockert und überleitet, ein eigenes gedankliches Gewicht. Die aufschlußreichste Partie, in der Margarete von Navarra ihre platonisch-christliche Auffassung der wahren Liebe ganz in der Nachfolge Marsilio Ficinos vorträgt, folgt auf die 19. Novelle der Sammlung. Kein Mensch, so heißt es, könne Gott vollkommen lieben, wenn er nicht zuvor ein Geschöpf auf Erden wahrhaft geliebt hat. Wie bei Platon also führt der Weg stufenweise zum Höchsten: vom Irdischen zum Überirdischen, vom Sinnlichen zum Geistigen. Aber schon hier wird die christliche Umdeutung erkennbar, in der es nicht mehr um die Schau der Idee geht, sondern um Gott, nicht um erkenntnishaftes Schauen, sondern um Gottesliebe. Doch ist es von besonderer Bedeutung in diesem Gespräch, daß das Irdische zum Ewigen hin überstiegen wird, ohne zu einem bloßen Unwert herabzusinken, wie es der christlichen Tradition weitgehend entsprochen hätte. Liebe zum Menschen und zum Hiesigen erscheint vielmehr als eine wesentliche und wertvolle Haltung, ohne die sich die höchste Vollendung nicht erreichen läßt.

Wie der französische Platonismus des 16. Jahrhunderts verdankt der englische Platonismus des 17. Jahrhunderts, der seinen Mittelpunkt in der sogen. Cambridger Schule hat, seine Anregungen der florentinischen Renaissance und besonders Ficinos Symposion-Kommentar. Wieder werden Platonisches und Christliches miteinander verbunden, wieder spielt Plotin, nicht zuletzt nun durch seine Idee der »Weltseele«, eine wichtige Rolle. George Chapman (1559-1634), der englische Übersetzer der Ilias, gibt oft geradezu eine Paraphrase aus Ficino. Auch war der mit der Idee des Eros verbundene Schönheitskult, wie bereits bei Bembo und Castiglione und dann am französischen Hofe, ein Bestandteil der aristokratischen Erziehung in England. Es ging nicht so sehr um die vom Eros vermittelte philosophische Erkenntnis als um das ritterliche Ideal einer Veredelung und Vergeistigung irdischer Liebe. Die platonische Überlieferung wurde ganz in diese Perspektive gerückt. Aber das war nur eine Schicht unter mehreren.

Der bedeutendste Epiker der Zeit, Spenser (1552-1599), läßt aus platonisch-plotinischem Geist den Helden seines Werkes ›Faerie Queene‹ zum Urquell des Schönen aufsteigen, der zugleich Inbegriff des Wissens und aller religiösen Erkenntnis ist. Spensers Hymnen über die himmlische Liebe und die himmlische Schönheit (›An Hymne of Heavenly Love‹, ›An Hymne of Heavenly Beautie‹) zeugen am stärksten von der speziell Plotinischen Überformung der Platonischen Schönheits- und Eroslehre: Die göttliche, von oben herab in die Welt wirkende Liebe ist mitbeteiligt. Spenser wollte damit eine Entwicklung umakzentuieren, die er selbst durch zwei Jugendhymnen über die Liebe und die Schönheit mitausgelöst hatte – denn inzwischen war das Reden von der Platonischen Liebe, wie die vielen ›Platonic Love‹ betitelten Gedichte aus dieser Zeit zeigen, zum galanten Gesellschaftsspiel geraten.

Die wichtigsten Vertreter des Cambridger Platonismus, Cudworth (1617-1688) und Henry More (1614-1687), standen dem mondänen Platonismus des Gesellschaftsspiels immer fern. Sie kultivieren das Kontemplative, die Weltabkehr, kurz alles, was sie bei Plotin finden konnten. Das innere »Schauen« und das Seelische hat bei ihnen den Vorrang. Wie Ficino wollen sie in einer Art von Theosophie Religion und Philosophie vereinen. Von historischer Bedeutung über ihr Jahrhundert hinaus ist der sich dabei herausbildende Gegensatz zum Empirismus, d.h. zum modernen wissenschaftlichen Geist. Denn während etwa Francis Bacon Glauben und Wissen, Religion und Erfahrungswissenschaft, letztlich Gott und Mensch trennen will, kommt es den vom Platonischen Idealismus und von Plotins »Weltseele« ausgehenden Denkern gerade auf den inneren Zusammenhang des Ganzen an – den Zusammenhang, den besonders der alles durchdringende Eros bewirkt. In Henry Mores ›Enchiridion Ethicum‹ gipfelt denn auch das System der Tugenden in der intellektuellen Liebe, die sich zum Göttlichen erhebt. Und in seinen philosophischen Lehrgedichten verbindet Eros den Menschen mit dem göttlichen Sein.

Shaftesbury (1671-1713), der »liebenswürdige Platon Europens«, wie ihn Herder später nannte, ist mit seinen Anfängen im Cambridger Platonismus verwurzelt. Er übernimmt zwar nicht dessen schwerfällig-gelehrten Systemgeist, aber doch die innere Ausrichtung: die idealistische Tendenz zur Wahrnehmung, ja zur geistigen Hervorbringung einer Ganzheit, bei gleichzeitiger Abneigung gegen alle bloße Schwarmgeisterei. Die bereits in der italienischen Renaissance erkennbare Wendung der Platonischen Eros- und Schönheitslehre in eine zwar noch religiös inspirierte, aber schon ästhetisch akzentuierte Weltanschauung wird zu einem Grundzug in Shaftesburys philosophischer Schriftstellerei. ›All beauty is truth‹, lautet seine Maxime. Schönheit verschmilzt also, ganz platonisch, mit der Wahrheit und der Sphäre des Religiösen. Dies bleibt bei Shaftesbury nicht bloß Theorie. Vielmehr folgt er auch darin Platon, daß er diese Anschauung in einer Philosophie mit hohen poetischen Qualitäten zum Ausdruck bringt. Die aus platonischem Geist stammende Gleichsetzung des Schönen mit dem Wahren beförderte das ästhetische Interesse des 18. Jahrhunderts und wurde zu einer Voraussetzung auch für die neue, große Bedeutung, welche die Goethezeit dem Dichter zumaß.

Mit Vorliebe hat das 18. Jahrhundert die Kraft des sublimierenden Eros, die Platon in der Rede der Diotima vorträgt, in der Gestalt der Diotima selbst evoziert. Frans Hemsterhuis (1721-1790), der »holländische Platon«, dessen Schriften bis in den Deutschen Idealismus hinein stark wirkten, machte aus dem Platonischen ›Symposion‹ geradezu die Basis seines literarischen Schaffens; und nicht genug damit, stilisierte er die Fürstin Gallitzin, mit der ihn Verehrung und Freundschaft verband, zu seiner »Diotima«. Diese geistige, »platonische« Seelenfreundschaft findet auch in seinen Dialogen Ausdruck. Immer wieder tritt Diotima in ihnen als idealisierte zeitgenössische Gesprächspartnerin auf. Das entsprach dem Geist der Zeit, die zwischen sinnlicher, besonders ehelicher Liebe und andererseits der »Seelenliebe« deutlich unterschied und beides für unvereinbar hielt – erst die Romantiker gelangten zu einer ganzheitlichen Liebesauffassung. Rousseau hatte in seiner ›Nouvelle Héloise‹ die Erziehung eines Mannes zur wahren, d. h. geistigen Liebe dargestellt. Dies war auch der Stil, in dem Frau von Stein ihre Freundschaft mit Goethe zu halten gedachte. Als 1785 Hemsterhuis mit der Fürstin Gallitzin nach Weimar kam, schrieb Goethe an Frau von Stein (25. 9. 1785): »Hemsterhuis besonders wäre für Dich gewesen, und man liest seine Schriften gewiß mit mehr Interesse, wenn man ihn kennt.« Daß dies alles weniger mit Platons ›Symposion‹ als mit der zeitgenössischen Psychologie und mit dem kulturellen Stellenwert der Frau im 18. Jahrhundert zusammenhängt, liegt auf der

Hand. Vor diesem Hintergrund nimmt auch Friedrich Schlegel in seiner Schrift ›Über die Diotima‹ (1795), in der er charakteristischerweise sofort Hemsterhuis nennt, Platons Diotima zum Anlaß, um die Stellung der Frau bei den Griechen zu erörtern.

In der gleichen Tradition stilisierte Hölderlin seine Liebe zu Susette Gontard, der Frau des Frankfurter Bankiers Gontard, bei dem er von 1796 bis 1798 Hauslehrer war. Susette Gontard wurde seine »Diotima«. Er verherrlichte sie in zahlreichen Gedichten, vor allem aber im ›Hyperion‹. In den beiden bedeutendsten von Hölderlins Diotima-Gedichten, in der Ode ›Der Abschied‹ und in der Elegie ›Menons Klagen um Diotima‹, kommt die platonische Vorstellung der alles Vergängliche und alles bloß Individuell-Persönliche übersteigenden Kraft des Eros voll zum Tragen. Nirgends hat das Sublime des Platonischen Eros, wie es in der Rede der Priesterin aus Mantinea überliefert ist, vollkommeneren Ausdruck gefunden als in den Versen Hölderlins. »Hingehn will ich«, heißt es in der Ode ›Der Abschied‹, »vielleicht seh ich in langer Zeit Diotima dich hier. Aber verblutet ist dann das Wünschen . . . und die Lilie duftet golden über dem Bach uns auf«. ›Menons Klagen um Diotima‹ sind zwar zuerst ein Gedicht der Klage um die verlorene Geliebte, aber der platonischen Anschauung vom Eros entsprechend wendet es sich dem durch die Liebe eröffneten Reich des Zeitlos-Idealen zu. Deshalb auch ist die Gestalt der Diotima für Hölderlin eine Mittlerin – Mittlerin zu einer hohen dichterischen Aufgabe, die durchaus in die philosophische Dimension Platons hineinreicht.

»Ich habe es Einmal gesehn, das Einzige, das meine Seele suchte, und die Vollendung, die wir über die Sterne hinauf entfernen, die wir hinausschieben bis ans Ende der Zeit, die hab ich gegenwärtig gefühlt. Es war da, das Höchste, in diesem Kreise der Menschennatur und der Dinge war es da!« So spricht Hyperion von Diotima. Das Höchste tritt für ihn sinnenhaft als »Schönheit« in Erscheinung, und wie im ›Symposion‹ hat die Schönheit für ihn eine spezifisch bezeugende Funktion. »Schönheit« ist für Hyperion das Vollkommene. Er meint damit nicht so sehr den äußeren Augenschein als das ideale Sein in seiner Harmonie. Diotima repräsentiert dieses ideale, kaum in Worte zu fassende Sein. Deshalb schafft Hyperion eine ganze Aura sublimer Namen um sie, und von einem auratischen Zauber umgeben bleibt ihre Gestalt bis ans Ende – so wie ja auch Platons Diotima als Priesterin eine höhere Weihe hat. Die Platonische Idee der Steigerung durch die Liebe zur Schönheit nahm Hölderlin in seinem ›Hyperion‹ auf zweifache Weise auf. Einmal weist Diotima, wie Platons Priesterin, durch ihre Worte in eine höhere Dimension als die der unmittelbaren Daseinserfüllung im persönlichen Erleben. Zum andern verkörpert sie selbst als Geliebte die reale Einzelerscheinung, über die Hyperion hinausgelangen muß, um seine höchste – wie sich zeigt: dichterisch-ideale – Aufgabe aus einem über alles Einzelne und Reale erhobenen Bewußtsein wahrnehmen zu können. Daher das tragische Moment des Abschieds. In den beiden Gedichten ›Der Abschied‹ und ›Menons Klagen um Diotima‹ ist der Abschied ebenso tödlich bedrohend wie im ›Hyperion‹ und doch ist er die Bedingung für den Aufstieg in die Sphäre des Idealen.

Nach der Zeit des Deutschen Idealismus hat das ›Symposion‹ keine bedeutende Wirkungsgeschichte mehr, denn im Realismus und erst recht im Naturalismus kehrt sich die Blickrichtung um. Das 20. Jahrhundert zeigt noch einige Reflexe. Sigmund Freud wollte alle Verächter seiner Lehre daran erinnern, »wie nahe die erweiterte Sexualität der Psychoanalyse mit dem Eros des göttlichen Plato zusammentrifft«. In Thomas Manns ›Tod in Venedig‹ kommt nicht nur der Zusammenhang von Eros und Schönheit, sondern das in der Tradition längst eskamotierte homoerotische Moment zum Tragen. Zwar steht in dieser Erzählung das Thema der Schönheit aus Platons ›Phaidros‹ im Vordergrund, aber das ›Symposion‹ spielt doch mit herein, und wie die Vorarbeiten zeigen, hat Thomas Mann dafür auch direkt auf das ›Symposion‹ zurückgegriffen. Indessen kann man hier nur noch von einer Adaption sprechen. Sie dient anderen Zwecken. An die Stelle des zum Höchsten steigernden, vergeistigenden Eros tritt ein ruinös ins Ungeistige und Chaotische umschlagender Eros. Nicht die steigende Linie des Platonischen Idealismus, sondern die Fall-Linie der Décadence ist in dieses Werk aus dem Jahre 1912 eingezeichnet.

Endlich hat Robert Musil in einer ironischen Wendung gegen neu-idealistische, von ihm als »Dünnromantik«

kritisierte Tendenzen der 20er Jahre die platonische Diotima in Gestalt einer Salon-Idealistin wiederkehren lassen. In seinem ›Mann ohne Eigenschaften‹ repräsentiert diese Salonidealistin eine fragwürdige Schöngeisterei und die Neigung zur unglaubwürdigen Überhöhung trivialer Grundverhältnisse. Das ist eine Kritik aus dem modernen Horizont eines Denkens, das sich dem wissenschaftlich Nachprüfbaren und der illusionslosen Exaktheit verpflichtet hat. Den mystischen Impuls aber, der schon Platons kontemplativ-philosophischen Idealismus und mehr noch den religiös verinnerlichten Idealismus Plotins und Marsilio Ficinos beseelt, hat Musil in einer tieferen Schicht seines Werkes um so lebendiger gehalten – und damit auch, bei aller modernen Skepsis, eine idealistische Grunddimension.

ANHANG

Zum griechischen Text

Knapp die zweite Hälfte des ›Symposions‹ (ab 201 a) ist mit Ausnahme einer Lücke (von 214 b bis 217 a) auf einer antiken Papyrusrolle erhalten, die auf das 2. Jh. oder das beginnende 3. Jh. n. Chr. zu datieren ist und im ägyptischen Oxyrhynchos gefunden wurde, vgl. Papyri Oxyrhynchi, hg. v. Grenfell-Hunt, Bd. V, Nr. 843 (Abkürzung im folgenden: Oxy.). Den gesamten Text des ›Symposions‹ bieten nahezu vierzig mittelalterliche Handschriften, unter denen an Alter und Güte die folgenden drei hervorragen:
der Codex Bodleianus (Clarkianus) 39 in Oxford, geschrieben im Jahre 895; er ist der älteste Codex (Sigle: B),
der Codex Venetus, app. class. 4, no. 1, in Venedig, aus dem 12. Jh. (Sigle: T),
der Codex Vindobonensis 54, suppl. philos. gr. 7, in Wien, aus dem 11. Jh. (Sigle: W).
Außer diesen Handschriften werden von den heutigen Herausgebern nur gelegentlich noch andere herangezogen (Abk. and.). Zur Textüberlieferung gehören weiterhin Randnotizen, sog. Scholien, die in verschiedenen Handschriften enthalten sind, und zahlreiche Zitate antiker Autoren aus dem ›Symposion‹ (vgl. die Namenliste bei Robin, s. u. S. CXVII, Anm. 1.).
Meiner Übersetzung des ›Symposions‹ liegt der von Joannes Burnet herausgegebene Text zugrunde (im

2. Band seiner Platonausgabe, Oxford 1901, seitdem oft nachgedruckt). Für Textstellen, deren Wortlaut umstritten ist, habe ich die Ausgabe von Léon Robin (›Le Banquet‹ in: Platon, Oeuvres complètes, IV,2, texte établi et traduit, Paris 1929 u. ö., zuletzt 1981) und die Einzelausgabe des ›Symposium‹ von Kenneth Dover (Cambridge 1980) herangezogen.

Dovers Ausgabe ist in textkritischer Hinsicht wenig ergiebig; der sorgfältige kritische Apparat Robins ist daher nach wie vor wertvoll. Robins »konservatives« Editionsprinzip erscheint im Falle des ›Symposions‹ unbedingt angebracht. Denn in der modernen Textkritik hat gerade das ›Symposion‹ aufgrund seiner stilistischen Vielfalt Anlaß zu verhältnismäßig zahlreichen – oft unnötigen – Eingriffen in den überlieferten Text gegeben, vgl. Robin S. CXVIII f. So bin auch ich bei der Übernahme von Konjekturen äußerst zurückhaltend verfahren; in diesen Fällen sind die Namen der jeweiligen Philologen in der anschließenden Stellenübersicht vermerkt.

An folgenden Stellen der Übersetzung liegen Abweichungen vom Text Burnets vor:
(nach Burnet: Seiten-, Abschnitts- und Zeilenangaben sowie die Lesarten vor dem Doppelpunkt)

172a5 περιμένεις : περιμενεῖς and.
174e3 τῶν ἔνδοθεν : ἔνδοθεν BTW
175d5 τὸ κενώτερον : τὸν . . . Coisl.
176b7 Ἀγάθων‹ος› : (ἀγάθων BTW) Ἀγάθων Robin
178b8 Ἡσιόδῳ δὲ καὶ Ἀκουσίλεως σύμφησιν

(ξύμφησιν zit. Stobaios): Ἡσιόδῳ δὲ καὶ Ἀκουσίλεως ὁμολογεῖ BTW nach b11

180a6 ἀλλ' ἅμα : (ἀλλὰ ἄρα TW) . . . ἀλλ' ἄρα Robin

182a5 ὁτιοῦν ‹πρᾶγμα› πραττόμενον : ὁτιοῦν πραττόμενον BTW (πρᾶγμα Schol.)

183a1 πλὴν τοῦτο, † φιλοσοφίας τὰ μέγιστα (Schleiermacher tilgt φιλοσοφίας): hier bewahrt, vgl. Robin

184d6 ὑπουργῶν ‹ὑπουργεῖν›: ὑπουργῶν ὑπουργεῖν Baiter

185b4 οὕτω πᾶν πάντως : οὕτω πάντως BTW

185e2 κινήσαις : κνήσεις Stobaios, Wyttenbach, Robin

188c7 ἐρῶντας : ἔρωτας BT

197d5 ἀγαθός : ἀγανός Usener, Dover

199b4 ὀνομάσει : ὀνόμασι BT

209b1 ἤ̣θεος : θεῖος BTW Oxy.

211c6 καὶ ἀπὸ τῶν μαθημάτων : ἵνα . . . Sauppe

211c7 τελευτῆσαι : τελευτήσῃ BTW

212e8 ἐὰν εἴπω : ἀνειπών Winckelmann, Robin, Dover

213b2 κατιδεῖν : καθίζειν BTW

213c6 ἐπαμύνεις : ἐπαμυνεῖς Stephanus, Robin, Dover

214e5 ἐπαινέσαι : ἐπαινέσεις BTW

216d4 οἶδεν. ὡς τὸ σχῆμα αὐτοῦ τοῦτο οὐ σιληνῶδες; : οἶδεν, ὡς τὸ σχῆμα αὐτοῦ. τοῦτο . . . Interpunktion nach Robin

217d4 ἐδεδειπνήκεμεν διελεγόμην ἀεὶ πόρρω : ἐδεδειπνήκει, διελεγόμην πόρρω BTW Oxy.

Zur Übersetzung

Die am Rand angegebenen Ziffern und Buchstaben sind die Seiten- und Abschnittszahlen der Ausgabe des Henricus Stephanus (Paris 1578, Bd. III), nach der man Platon allgemein zitiert.

Die Einteilung des Textes in 39 Kapitel folgt nicht der Burnetschen Ausgabe, sondern der Übersetzung von Friedrich Schleiermacher (1804-1810).

Da der griechische Text fortlaufend geschrieben war, waren im Urtext vor allem für die Dialogpartien häufige Einschübe notwendig, wie »sagte er«, »sagte ich« usw. Soweit diese Einschübe entbehrlich schienen, wurden sie in der Übersetzung weggelassen. Gelegentlich sind die Namen der Sprecher zur Verdeutlichung eingefügt. Ferner ist im griechischen Text der Hauptteil des ›Symposions‹ in indirekter Rede gehalten. Da im Gegensatz zum Griechischen diese Aussageform im Deutschen auf die Dauer schwerfällig wirkt, geht die Übersetzung immer wieder in die direkte Rede über.

Dem Verständnis dienende Zusätze der Übersetzerin sind durch spitze Klammern gekennzeichnet.

Literaturhinweise

Es wird vorzugsweise die Literatur seit 1950 berücksichtigt.

I. Zu Platon

Gesamtdarstellungen:

Friedländer, P.: Platon, Bd. I-III, Berlin ³1964-75. (Zum Symposion vgl. Bd. III, S. 1-28.)

Graeser, A.: Geschichte der Philosophie (hg. v. W. Röd), Bd. II: Die Philosophie der Antike 2, München 1983.

Guthrie, W. K. C.: A History of Greek Philosophy, Vol. IV: Plato, The Man and his Dialogues: Earlier Period, Cambridge 1975; Vol. V: The Later Plato and the Academy, Cambridge 1978. (Zum Symposion vgl. Bd. IV, S. 365-96.)

Jaeger, W.: Paideia. Die Formung des griechischen Menschen, Bd. II, Berlin ³1959 (Nachdruck 1973).

Leisegang, H.: Platon. In: Pauly-Wissowas Realenzyklopädie der klassischen Altertumswissenschaft (RE) Bd. XX 2, Stuttgart 1950, Sp. 2342-2537.

Lesky, A.: Geschichte der griechischen Literatur, München ³1971.

Monographien, die auf das Symposion eingehen:

Gadamer, H. G.: Platons dialektische Ethik und andere Studien zur platonischen Philosophie, Hamburg ²1968.

Gaiser, K.: Platons ungeschriebene Lehre. Studien zur systematischen und geschichtlichen Begründung der Wissenschaften in der Platonischen Schule, Stuttgart ²1968.

Gaiser, K. (Hg.): Das Platonbild. Zehn Beiträge zum Platonverständnis, Hildesheim 1969. Darin besonders: Schleiermacher, F.: Einleitung zu »Platons Werke« (1804, ²1817, ³1855).

Gundert, H.: Dialog und Dialektik. Zur Struktur des platonischen Dialogs. Studien zur antiken Philosophie Bd. 1, Amsterdam 1971.

Krämer, H. J.: Arete bei Platon und Aristoteles. Zum Wesen und zur Geschichte der platonischen Ontologie. Abh. d. Heidelberger Akademie d. Wiss., phil.-hist. Kl. 1959, 6, Heidelberg 1959.
Ross, W. D.: Plato's Theory of Ideas, Oxford ²1953.
Wieland, W.: Platon und die Formen des Wissens, Göttingen 1982.

II. Zum Symposion

Eine ausführliche Platon-Bibliographie bietet Guthrie, Bd. IV, S. 562-81 (s. o.), eine Literaturübersicht speziell zum Symposion von 1926 bis 1979 geben P. Wilpert u. K. Bormann in: Platon, Das Gastmahl, griech.-dt., übers. u. erl. von O. Apelt (1928), neubearb. v. A. Capelle (1960), Hamburg ³1981, S. XXV-XXXI (auf S. XXX f. weitere Hinweise auf Platon-Bibliographien). Von 1975 bis 1983 reicht die Platon-Bibliographie v. L. Brisson u. H. Ioannidi in: Lustrum 1983, Bd. 25, S. 31-320.

Als kommentierte Ausgaben sind zu empfehlen:

Bury, R. G.: The Symposium of Plato, Cambridge ²1932.
Dover, K. J.: Plato. Symposium. Edited with Introduction and Commentary, Cambridge 1980.
Robin, L.: Le Banquet, Texte établi et traduit, in: Platon, Oeuvres complètes, Bd. IV, 2, Paris 1929, ¹¹1981.

Bücher und Abhandlungen:

Allen, R. E.: The Elenchus of Agathon: Symposium 199c ff., in: The Monist, 1966, S. 460 ff.
Babut, D.: Peinture et dépassement de la réalité dans le Banquet de Platon, in: REA (Revue des Etudes Anciennes) 82, 1980, S. 5-29.
Belfiore, E.: Elenchus, Epode, and Magic: Socrates as Silenus, in: Phoenix 34, 1980, S. 128-137.
Bröcker, W.: Symposion, in: Platos Gespräche, Frankfurt/M. ³1985, S.145-167.

Buchner, H.: Eros und Sein. Erörterungen zu Platons Symposion. Bonn 1965.

Cassirer, E.: Eidos und Eidolon. Das Problem des Schönen und der Kunst in Platons Dialogen. Vortr. Bibl. Warburg, 1922-23, Bd. I, S. 1-27.

Chen, L. C. H.: Knowledge of Beauty in Plato's Symposium, in: Classical Quarterly 33, 1983, S. 66-74.

Clay, D.: The Tragic and the Comic Poet of the Symposion, in: Arion 2, 1975, S. 238-261.

Cornford, F. M.: The Doctrine of Eros in Plato's Symposium, in: The Unwritten Philosophy, Cambridge 1950.

Dover, K. J.: Greek Homosexuality, London 1978. Deutsch: Homosexualität in der griechischen Antike, München 1983. Zum Symposion bes. S. 139-149.

Ehlers, B.: Eine vorplatonische Deutung des sokratischen Eros. Der Dialog Aspasia des Sokratikers Aischines. Zetemata 41, München 1966.

Erbse, H.: Sokrates und die Frauen, in: Gymnasium 73, 1966, S. 201-220. Zum Symposion bes. S. 201 ff.

Gaiser, K.: Esteriorità e interiorità dei logoi socratici: Simposio 212 c-223 d, in: Platone come scrittore filosofico, Neapel 1984, S. 55-76.

Gauss, H.: Philosophischer Handkommentar zu den Dialogen Platos. 2. Teil, 2. Hälfte: Die Dialoge der literarischen Meisterschaft: Phädo, Symposium, Staat und Phädrus, Bern 1958, S. 81-117.

Godel, R.: Socrate et Diotime, Coll. des Etudes Anciennes, Paris 1955.

Gosling, J. C. B.: Plato, London 1973, bes. Kap. 2-4, 8, 15.

Gould, T.: Platonic Love, New York-London 1963.

Hoffmann, E.: Über Platons Symposion, Heidelberg 1947.

Koller, H.: Die Komposition des platonischen Symposions, Zürich 1948.

Krischer, T.: Diotima und Alkibiades. Zur Struktur des Platonischen Symposion, in: Grazer Beiträge 11, 1984, S. 51-65.

Krüger, G.: Einsicht und Leidenschaft. Das Wesen des platonischen Denkens, Frankfurt a. M. [4]1973; daraus gesondert: Eros und Mythos bei Plato. Hg. v. R. Schaeffler, Frankfurt a. M. 1978.

Lesky, A.: Der platonische Eros, in: Vom Eros der Hellenen, Göttingen 1976, S. 87-100.
Mader, M.: Das Problem des Lachens und der Komödie bei Platon, Tübinger Beiträge zur Altertumswissenschaft 47, Stuttgart 1977. Zum Symposion vgl. den dritten Teil.
Mason, H. A.: Plato's comic masterpiece? A discussion of the scope and function of Plato's drinking party, in: Cambridge Quarterly 9, 1980, S. 114-142.
Nussbaum, M.: The speech of Alcibiades: A reading of Plato's Symposium, in: Philosophy and Literature 3, 1979, S. 131-172.
Neumann, H.: Diotima's Concept of Love, in: The American Journal of Philology 86, 1965, S. 33-59.
Oeing-Hanhoff, L.: Platon über die Liebe, in: Stimmen der Zeit 220, 1984, S. 762-774.
Patzer, H.: Die griechische Knabenliebe, Sitzungsberichte d. Wiss. Ges. a. d. J. W. Goethe-Universität Frankfurt a. M. Bd. 19,1, Wiesbaden 1982. Zum Symposion bes. S. 105 ff.
Reynen, H.: Der vermittelte Bericht im Platonischen Symposion, in: Gymnasium 74, 1967, S. 405-422.
Robin, L.: La théorie platonicienne de l'amour, Paris ²1964.
Rosen, S.: Plato's Symposium, New Haven – London 1968.
Schiavone, M.: Il problema dell'amore nel mondo greco. Vol. I: Platone. Pubbl. dell'Istituto di filosofia dell'Universita di Genova 35, Mailand 1965.
Schmalzriedt, E.: Die Sokrates-Diotima-Rede im ›Symposion‹, in: Platon – Der Schriftsteller und die Wahrheit, München 1969, S. 33-64.
Sider, D.: Plato's Symposium as Dionysian festival, in: QUCC (Quaderni Urbinati di Cultura Classica), n.s. 4, 1980, S. 41-56.
Von der Mühll, P.: Das griechische Symposion, in: Xenophon, Das Gastmahl, übers. v. Landmann, G. P., Hamburg 1957. Zu Platons Symposion S. 107 ff.
Vretska, K.: Zu Form und Aufbau von Platons Symposion, in: Serta philologica Aenipontana (= Innsbrucker Beiträge zur Kulturwissenschaft) 7-8, Innsbruck 1962, S. 143-156.
Wippern, J.: Eros und Unsterblichkeit in der Diotima-Rede des

Symposions, in: Synusia. Festgabe für W. Schadewaldt, Pfullingen 1965, S. 123-159.
Zinn, E.: Art. ›Erotik‹ im Lexikon der Alten Welt, Zürich-Stuttgart 1965, Sp. 867-873.

Bildnachweise

Umschlagbild: Attische rotfigurige Schale, Kassel, Antikenabteilung der Staatlichen Kunstsammlungen, T. 664. Erzgießerei-Maler, um 480 v. Chr. In: CVA (Corpus Vasorum Antiquorum) Kassel (1) Taf. 40,1.

Zu den Abbildungen S. 107-122:

1.-5. In: Greifenhagen, A.: Griechische Eroten, Berlin 1957. Vgl. Verzeichnis der Abbildungen S. 86-88.

1.2. (= 23.24. bei Greifenhagen) Stammos des Hermonax. München, Museum antiker Kleinkunst 2413 (J. 345). Um 465-460 v. Chr. Aus Vulci. (Es handelt sich insgesamt um vier Eros-Darstellungen.)

3. (= 14. bei Greifenhagen) Innenbild einer Schale. Florenz, Museo Archeologico Etrusco. Um 530-520 v. Chr. Aus Orvieto.

4. (= 6. bei Greifenhagen) Schulterbild einer Hydria des Berliner Malers. Madrid, Museo Arqueológico Nacional 11 117. Um 490-480 v. Chr.

5. (= 3. bei Greifenhagen) Lekythos des Pan-Malers. Schloß Fasanerie (Adolphseck bei Fulda). Um 470 v. Chr. Vermutlich aus Gela. (Das Gegenstück ist ein Ant-Eros mit dunklem Haar.)

6. Rotfiguriges Bild der Amphora des Andokides-Malers. München, Museum antiker Kleinkunst. Um 525 v. Chr. In: Simon, E.: Die griechischen Vasen, München 1976, Abb. 87. (Das Besondere an dieser Amphora ist, daß sie auf der Gegenseite noch ein schwarzfiguriges Bild des gleichen Inhalts hat.)

7. Attische rotfigurige Schale. Florenz, Museo Archeologico, Inv. 3924. Nähe Nikoxenos-Maler, ca. 500 v. Chr. In: CVA Florenz (3) Taf. 91,2.

8. Schale des Duris. London, British Museum E 49. 490-480 v. Chr. In: Wegner, M.: Duris. Ein künstlermonographischer Versuch, Münster i. W. 1968, Abb. 30.

9. Attische rotfigurige Trinkschale des Malers Makron. Würzburg, Martin-von-Wagner-Museum. Um 490 v. Chr. In: Hagenow, G.: Aus dem Weingarten der Antike. Mainz 1982, Abb. 16.
10. Schale des Brygos-Malers. London, British Museum E 68. 485-480 v. Chr. In: Boardman, J.: Rotfigurige Vasen aus Athen, Mainz 1975, Abb. 253,2.
11. Attische rotfigurige Schale. Genf, Musée d'art et d'histoire J. 519. Euaion-Maler, ca. 470-460 v. Chr. In: CVA Genf (1) Taf. 10,4.
12. Innenbild einer Schale des Duris. Attisch. München, Museum antiker Kleinkunst. Um 470 v. Chr. In: Hagenow (vgl. Nr. 9), Abb. 21.
13. Attischer rotfiguriger Stammos. München, Museum antiker Kleinkunst 2410. Maler des Pariser Gelage-Stammos, ca. 430 v. Chr. In: CVA München (5) Taf. 251,4.
14. Attischer schwarzfiguriger Teller (weißgrundig). Basel, Antikenmuseum Kä 421. Psiax, ca. 520-510 v. Chr. – In: CVA Basel (1) Taf. 43,5.
15. Schale 479 des Brygos-Malers. Würzburg, Martin-von-Wagner-Museum, um 490 v. Chr. In: Arias, P. E. – Hirmer, M.: Tausend Jahre griechische Vasenkunst, München 1960, Abb. 138.
16. Skyphos G 156 des Brygos-Malers. Paris, Musée du Louvre. Nach 500 v. Chr. In: Arias-Hirmer (vgl. Nr. 15), Abb. 137.

Für wertvolle Hilfe danke ich Bettina von Freytag Löringhoff und Ingeborg Peschel, Archäologisches Institut der Universität Tübingen, Konrad Gaiser, Philologisches Seminar der Universität Tübingen, und meinem Mann.

Vorbemerkung: Apollodoros gibt Freunden den Bericht des Aristodemos von dem berühmten Trinkgelage bei Agathon i. J. 416 wieder, an dem Aristodemos selbst teilgenommen hatte. Denselben Bericht hat Apollodoros vor kurzem dem Glaukon gegeben, der durch einen von Phoinix einem Dritten vermittelten Bericht schon Ungenaues davon gehört hatte; der Bericht des Phoinix ging ebenfalls auf Aristodemos zurück. Apollodoros berichtet dem Glaukon wie seinen Freunden von dem Trinkgelage erst viele Jahre später, um 400 v. Chr.

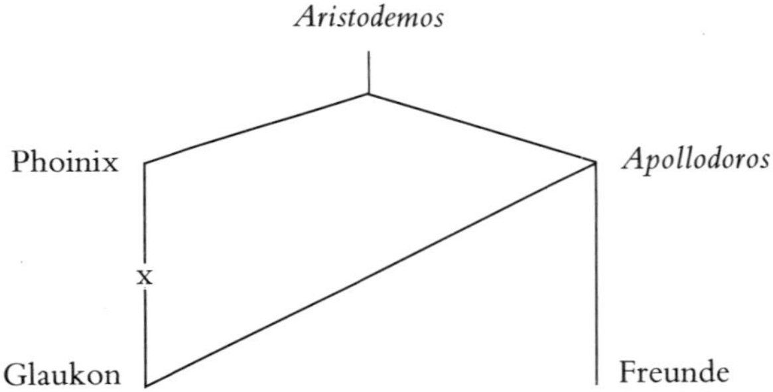

Platon hat offenbar mit voller Absicht den Zeitpunkt des Berichts (um 400 v. Chr.) und die zwei Berichterstatter (Aristodemos und Apollodoros) gewählt: Sokrates wird kurz vor seinem Tode von zwei leidenschaftlichen Anhängern auf dem Höhepunkt seiner geistigen Kraft und persönlichen Ausstrahlung geschildert. Vgl. Nachwort S. 151-155.

1 172 a. Der Scherz besteht in der feierlichen Form, d. h. in der Hinzufügung der Heimatgemeinde, was nur bei offiziellen Anlässen üblich war.

2 173 a. S. o. Vorbemerkung.

3 174 b. Das Sprichwort, daß »zu der Tafel der Edlen von selber kommen die Edlen«, läßt im Griechischen das Wortspiel mit dem

Namen des Gastgebers zu: »Agathon« ist gleichlautend mit »agathon« (Genitiv: »der Edlen«).

4 174 c. Vgl. Ilias 17, 588.

5 174 d. Vgl. Ilias 10, 224.

6 175 a ff. Die Diener waren natürlich Sklaven. Aber aus dem familiären Ton, in dem der Gastgeber anschließend mit ihnen spricht, geht hervor, daß die Anrede »Sklave« zu kraß wäre. Das griechische Wort für »Sklave« und »Diener« hat auch die Bedeutung »Knabe«, »Bursche«; vgl. »boy«, »garçon«.

7 175 a ff. Da die Verteilung der Gäste auf die einzelnen, meist für zwei, höchstens für drei Personen Platz bietenden Liegen im folgenden eine Rolle spielt, sei die »Liege«-Ordnung beim Trink-»Gelage« skizziert:

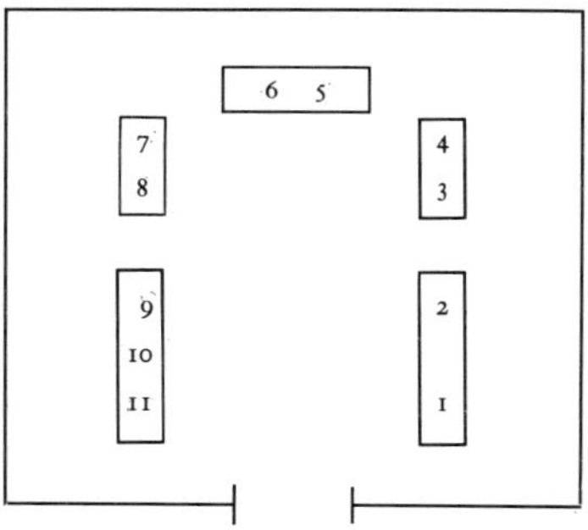

1 Phaidros
2, 3, 4 Ungenannte (vgl. 180 c)
5 Pausanias
6 Aristophanes
7 Eryximachos
8 Aristodemos
9 Agathon
10 Alkibiades (vgl. 213 a; 222 e f.)
11 Sokrates

8 175 d. Bei diesem Experiment handelt es sich um das Gesetz der Kapillarität, aufgrund dessen ein Wollfaden das Wasser aus einem volleren Gefäß in ein leereres hinüberleitet, bis der Wasserstand in beiden dasselbe Niveau erreicht hat.
Diesem Vergleich liegt die auch sonst bei Platon belegte Vorstellung von der Seele als Gefäß des Wissens zugrunde.

9 175 e. Entsprechend seinem berühmten Satz »Ich weiß, daß ich nichts weiß« führt sich Sokrates beim Symposion sofort mit der für ihn typischen Form der Selbstverkleinerung: der Ironie ein. Zur Sokratischen Ironie vgl. 216 e und 218 d.

10 175 e. In Athens Dionysostheater am Südabhang der Akropolis, das in seiner jetzigen Gestalt allerdings erst aus der Zeit um 330 v. Chr. stammt, hatten ordnungsgemäß rund 15 000 Menschen Platz (im Theater von Epidauros 55 000!); doch wird die Zuschauerzahl tatsächlich oft viel größer gewesen sein.

11 178 a. Mit »Ich« ist der Erzähler Apollodoros gemeint. Er wird außerdem nur noch ein Mal, 185 c, erwähnt.

12 178 b. Hesiod, Theogonie 116 ff.

13 178 b. Parmenides, vgl. Diels-Kranz, Fragmente der Vorsokratiker, I 28 B 13.

14 178 c. Akusilaos, vgl. Diels-Kranz, Vorsokr. I 9 B 2.

15 178 d. Das im ›Symp.‹ zentrale Wort »kalos«, »schön«, bietet eine ähnliche Übersetzungsschwierigkeit wie »arete«, »Tugend«, vgl. dazu Anm. 17. Da »kalos« an dieser Stelle erstmals im Zusammenhang mit Eros vorkommt, sei hier prinzipiell auf die Schwierigkeit hingewiesen, dieses Leitwort immer mit »schön« wiederzugeben. »Kalos« ist nicht wie »schön« im Deutschen vorwiegend auf den ästhetischen Bereich eingeengt, sondern wird sehr oft auch im ethischen Bereich verwendet, etwa im Sinne von »sittlich schön, edel, recht, angemessen«; zur griechischen Leitvorstellung der »Kalokagathie«, des »Schön-Gut-Seins«, vgl. Nachwort S. 134, 147. Ferner kommt »schön« auch im intellektuellen oder praktischen Sinne vor. Es kann wie »arete« das Vollendete meinen. Zum Begriff des Schönen und speziell zu dem letztgenannten Aspekt vgl. Nachwort S. 146 f.

16 178 e. »Ein Heer aus Liebenden und Geliebten«: Die sog. Heilige Schar der Thebaner bildete sich um 379/378 – ein Ansatzpunkt für die Datierung des ›Symp.‹, vgl. Anm. 33; Näheres zur Heiligen Schar im Nachwort S. 132 f.

17 179 a. Eros begeistert einen jeden zur Tugend (»arete«) und macht ihn dem gleich, der von Natur aus der Beste (»aristos«) ist. Hier, wo zum ersten Mal in Verbindung mit Eros von Arete die Rede ist, sei grundsätzlich auf die Schwierigkeit verwiesen, diesen Leitbegriff des ›Symp.‹ zu übersetzen (zu »schön« vgl. Anm. 15). Dem Wortstamm nach gehört Arete zu »aristos« (s. o.) und bedeutet soviel wie Bestform und -leistung und zwar im geistigen

wie körperlichen, im sittlichen wie praktischen Bereich. »Tugend«, womit man Arete meist übersetzt, ist als Begriff viel zu eng; durch die christliche Sinngebung denkt man heute zu sehr an das Passive, etwa an eine tugendhafte Frau, nicht so sehr an die aktive, männliche Bewährung. Eher würde noch die ursprüngliche Bedeutung von Tugend: »Taugen« und »Tüchtigkeit« passen; doch in unserem Wort Tüchtigkeit fehlt das für Arete wesentliche Moment der Bestleistung. »Güte« kann auch der entsprechende Begriff sein, darf aber genausowenig wie Tugend eng moralisch gefaßt werden. Wie statt Tugend häufiger Tüchtigkeit zutrifft, so steht Güte oft eher im Sinne von Tauglichkeit; und das kann nicht nur von Menschen, sondern auch von Tieren und Sachen ausgesagt sein, wie man ja ebenfalls im Deutschen etwa von einem »guten Pferd« oder einem »guten Schwert« spricht. Doch anders als Güte und Gutsein heißt Arete immer superlativisch: am besten sein und das Beste leisten. So ist Arete im wesentlichen Auszeichnung, Vortrefflichkeit, Vollkommenheit. Sie ist nicht nur höchster Wertbegriff der Aristokraten (d. h. der »Besten«, zum »Herrschen« Berufenen), sondern sie steht auch für Adel im weiteren Sinne: für Seelen- und Geistesadel, Edelmut und edle Tat.

Aufgrund der Fülle ihrer Bedeutungsmöglichkeiten ist »arete« – ähnlich wie »kalon« – als ein Leitwort des griechischen Textes in der Übersetzung nicht immer erkennbar.

18 179 b. Vgl. Ilias 10,482; 15,262; Odyssee 9,381.

19 179 c. Platon hebt hier Eros von dem anderen griechischen Wort für »Liebe«, »philia«, entschieden ab. Der Begriff Philia hat die größere Spannweite; er bezeichnet jede positive zwischenmenschliche Beziehung: von der verwandtschaftlichen, vor allem der engsten blutsverwandtschaftlichen, und der ehelichen Liebe, der Freundschaft und Gefährtenschaft reicht er über Gastfreundschaft und Beziehung zum sozial niedriger Gestellten, etwa zum Diener, bis hin zur Verbundenheit mit größeren Gemeinschaften – Genossenschaft, Stadt, Staat, Volk – ja mit der Menschheit insgesamt; Phil-anthropie ist dafür das Wort. Während Eros immer Leidenschaft ist, sexuelle wie sublimierte, er-

scheint Philia eher als gefühlshafte, als sittliche und als soziale Haltung. Allerdings ist auch die Liebe zur Erkenntnis, Philosophie, von Philia abgeleitet; aber nach Platon hat Philosophie immer leidenschaftlichen Charakter: sie verschmilzt mit Eros und ist daher Erkenntnisleidenschaft.

20 179 d f. In der Abwertung des Musikers Orpheus mag Platons radikale Ablehnung verweichlichender Musik durchschlagen. Da Platon sieht, daß keine Kunst so intensiv auf die Seele einwirkt wie die Musik, bewertet er sie ambivalent: sie kann ebenso förderlich wie verführerisch sein. Der wahre Staatsmann muß also das Musikleben reglementieren: es unterstützen, soweit es harmonisierend – und damit im Sinne der Ratio und Ordnung – wirkt, es untersagen, soweit dadurch Irrationales entfesselt wird. Vgl. Staat 424 b ff., Gesetze 800 a ff.

21 179 e. Zur Weissagung der Thetis an Achill s. Ilias 9,410 ff.

22 182 b. Nach dem sog. Antalkidas- oder Königsfrieden von 387 v. Chr., einem Diktat des Perserkönigs, gerieten die ionischen Griechen an der kleinasiatischen Küste wieder unter persische Herrschaft, von der sie sich 479 v. Chr. befreit hatten. Diese Textstelle liefert einen Hinweis für die Datierung des ›Symp.‹, vgl. Anm. 33.

23 183 e. Vgl. Ilias 2,71.

24 184 c. Vgl. auch 183 a. Die Vorstellung, daß gerade der Liebende sich wie ein Knecht oder Sklave – eben ganz in der Gewalt eines andern – fühlt, kehrt auch in der Alkibiades-Rede wieder, vgl. 215 e und 219 e. Hält man sich vor Augen, daß hier Vertreter des Adels sprechen, wirkt dieser Vergleich umso stärker.

25 187 a. Vgl. Diels-Kranz, Vorsokr. I 22 B 51. Der originale Wortlaut dieses berühmten Aphorismus ist unsicher. Bei Diels-Kranz lautet die Stelle: »(Sie verstehen nicht, wie) es auseinanderstrebend mit sich selbst zusammenstimmt: gegenstrebige Harmonie wie die des Bogens und der Leier.«

26 187 e. Der Aphrodite Urania seines Vorredners (180 d) stellt Eryximachos die Muse Urania, Patronin der Astronomie, gegenüber: Urania heißt ja die »Himmlische«. Weiterhin tritt die Muse Polyhymnia an die Stelle der Aphrodite Pandemos, der »All-

gemeinen«, vielleicht weil die Vorsilbe »All-« der Vorsilbe »Viel-« (Poly-) in dem Musennamen nahekommt.

Daß Eryximachos das Wirken des Eros zuerst in der Medizin und dann in der Musik und in der Astronomie (188 a f.) darstellt, hat durchaus eine innere Logik: Denn wie in der Antike die Musik der Astronomie entsprach, so schrieb man der Musik medizinische Wirkungsweise zu (als Therapeutikum in der Seelenheilkunde).

27 188 b. Wenn Eryximachos im Makro- wie im Mikrokosmos einen zweifachen Eros zu erkennen glaubt: einen, der Ausgleich und Ordnung schafft und einen anderen, der störend, ja zerstörerisch wirkt, so bezieht er sich offenbar auf die Lehre des Arztes und Naturphilosophen Empedokles von Agrigent (5. Jh.): von den Urkräften Liebe und Streit würden, so lehrte dieser, die Elemente im Kosmos geeint und wieder geschieden.

Noch Sigmund Freud nimmt im zweiten Kapitel seines ›Abrisses der Psychoanalyse‹ »zwei Grundtriebe« an, »den Eros und den Destruktionstrieb«, die »in den biologischen Funktionen gegeneinander wirken.« »Über den Bereich des Lebenden hinaus«, so schreibt er weiter, »führt die Analogie unserer beiden Grundtriebe zu dem im Anorganischen herrschenden Gegensatzpaar von Anziehung und Abstoßung.« Ausdrücklich verweist Freud dabei auf Empedokles.

28 189 e ff. Auch nach dem Talmud hatte der Mensch ursprünglich zwei Gesichter und war auf der einen Seite Mann und auf der anderen Seite Frau, bis Gott ihn teilte. Doch darf man kaum deswegen hier unmittelbaren orientalischen Einfluß annehmen; vielmehr wird Platon die Vorstellung der Doppelwesen aus der orphischen Kosmogonie haben.

29 190 d. Schlauchhüpfen: eine Belustigung bei den ländlichen Dionysien; dabei mußte man mit einem Bein auf einem mit Wein gefüllten und mit Öl bestrichenen Schlauch herumhüpfen.

30 191 c. Die Zikaden zeugen zwar nicht in der Erde, aber sie legen ihre Eier mit dem Legestachel in den Boden hinein. So konnte sich bei oberflächlicher Beobachtung leicht mit ihnen die mythische Vorstellung von autochthonen, erdgeborenen Wesen ver-

binden. Die Zikade galt den Griechen als Symbol der Autochthonie.

31 191 d. Das griechische Wort dafür ist »Symbol«. Das Teilstück hatte auch tatsächlich in der Antike die Funktion eines »Erkennungszeichens«. Gastfreunde zerbrachen beim Abschied eine Marke oder einen Würfel in zwei Hälften, damit sie und ihre Nachkommen sich an den Bruchstücken erkennen konnten.

32 191 d. Die Schollen oder Butten haben Augen und Maul nur auf der einen Seite des Kopfes und sehen daher fast wie halbiert aus. Der Vergleich kommt sogar bei Aristophanes selbst vor: in der ›Lysistrate‹ (V. 115) will sich eine der Frauen für den Frieden gar mitten durchschneiden lassen, so daß sie aussähe wie eine Scholle.

33 193 a. Diese Stelle spielt für die Datierung des ›Symp.‹ eine entscheidende Rolle (vgl. zuletzt dazu K. Dover, Symposium, hg. u. komm., Cambridge 1980, S. 10 u. 119). Es handelt sich um einen sog. Dioikismos; i. J. 385/4 hoben die Spartaner die arkadische Stadt Mantineia auf und siedelten die Einwohner zerstreut in fünf Dörfern an. Dieser Anachronismus (das Trinkgelage bei Agathon spielt ja i. J. 416!) gibt einen Terminus post quem für die Abfassung des ›Symp.‹, ähnlich wie der indirekt zu erschließende sog. Königsfriede 387, durch den die ionischen Städte an der kleinasiatischen Westküste wieder unter persische Herrschaft fielen, vgl. 182 b; Anm. 22. Als drittes zeitliches Indiz kommt der Hinweis auf die Heilige Schar der Thebaner hinzu, deren Formierung um 379 anzusetzen ist, vgl. 178 e. Daher gibt Dover als wahrscheinlichen Zeitraum für die Entstehung des ›Symp.‹ die Jahre 384 bis 379 v. Chr. an.

34 194 b. Damit ist nicht die eigentliche Aufführung im Dionysostheater gemeint, sondern eine Art Vorspiel, der sog. Proagon: Die zum Wettkampf zugelassenen Dichter stellten sich dem Publikum in dem ebenfalls südlich der Akropolis gelegenen Odeion vor, zusammen mit ihren Schauspielern und den Chören.

35 195 c. Zu den alten Göttergeschichten vgl. Hesiod Theog. 176 ff., 502, 618. Vgl. Parmenides VS B 13, s. o. 178 b

36 195 d. Vgl. Ilias 19, 92 f.

37 196 a. »Unter Blumen« könnte eine Anspielung auf Agathons Tragödie ›Anthos‹, »Blume«, (oder ›Antheus‹?) sein. Vgl. Nam. verz. »Agathon«. Außerdem bezieht sich A. wohl auf die häufige bildliche Darstellung des Eros mit einer Blume in der Hand, vgl. S. 109.

38 196 c. »Des Staates Herrscher, die Gesetze«: ein seit Pindar (Frg. 169) beliebtes Bild.

39 196 d. Zitat nach Sophokles Frg. 235 Nauck. Vgl. insgesamt zu dieser Stelle den berühmten Schwank von Ares und Aphrodite im 8. Buch der Odyssee V. 266 ff. Als Sohn des Ares und der Aphrodite lebt Eros in der Phantasie des Volkes fort, und so begegnet er auch in der gängigen Mythologie.
Im ›Symp.‹ aber ist davon nicht die Rede, vgl. dazu Nam.verz. »Eros« u. »Hesiod«.

40 196 e. Vgl. Euripides Frg. 663 Nauck.

41 198 c. Anspielung auf das Haupt der Gorgo, ein durch den Anklang des Namens Gorgias veranlaßter Scherz; vgl. einen ähnlichen Wortwitz 185 c. Gemeint ist Medusa, die als einzige der drei schrecklichen Gorgonenschwestern sterblich war. Perseus schlug ihr das Haupt ab; es war von Schlangenhaaren umgeben und versteinerte jeden, der es sah. Die Göttin Athene führt das Gorgonenhaupt als abwehrendes Schildzeichen.

42 199 a. Anspielung auf die berühmte Stelle im ›Hippolytos‹ des Euripides, V. 612: »Die Zunge hat's geschworen, nimmermehr das Herz!«

43 199 d ff. Ein interessantes Beispiel für die Anfänge der Grammatik: »Liebe von jemandem« versucht den griechischen Ausdruck »Eros« mit Genitiv von »jemand« wiederzugeben; im Griechischen kann dieser Genitiv sowohl das Subjekt meinen: jemandes Liebe, als auch das Objekt bezeichnen: Liebe zu jemandem. Die Genitive des Subjekts und des Objekts waren noch nicht definiert.
Sokrates will mit diesen Beispielen Eros als einen Begriff erweisen, der stets auf einen anderen bezogen ist, also als einen sog. Korrelationsbegriff.

44 200 a. Agathon hatte die Schönheit als Gegenstand des Eros

angegeben (197 b). Doch Sokrates kann diesen Begriff an diesem Punkt des Gesprächs noch nicht brauchen; er kommt erst 201 a darauf zurück.

45 202 d ff. Setzte Homer »Daimon« noch mit »Gott« ineins, so kommt es bereits vor Platon zur Vorstellung des Daimon im Menschen: »Für den Menschen ist seine Eigenart ein Daimon« lautet ein bekannter Spruch des Vorsokratikers Heraklit (Frg. 119). Bei Platon nun begegnet »Daimon« sowohl im mythischen Bilde eines göttlichen Schutzgeistes wie auch in psychologischer Deutung: gleichsam als innerer Mensch. Die Griechen sehen das Dämonische durchaus ambivalent: Das im einzelnen Menschen jeweils Angelegte kann sich als gutes oder schlechtes Lebenslos, »eu-daimon« oder »dys-daimon« erweisen.

Aus christlicher Sicht wurde alles Dämonische strikt abgewertet: Als Gegner des Christengottes sanken die antiken Götter zu Dämonen herab und wurden Gehilfen des Satans.

Doch in der 2. Hälfte des 18. Jh. erfuhr dieser Begriff in Deutschland eine entscheidende Umwertung: Im Zuge des für den Sturm und Drang zentralen Geniekultes heißt nun »dämonisch« soviel wie »genial«; »Genius« ist ja die lateinische Entsprechung für »Daimon«. Goethe spricht direkt vom »dämonischen Geist des Genies« (für den klassischen Goethe ist »Daimon« in den ›Urworten Orphisch‹ allerdings eher im Sinne Heraklits bedeutsam). Den entscheidenden Anstoß zu dieser Begriffsaufwertung hatte die Rückbesinnung des Sturm- und Drang-Programmatikers Hamann auf das »Daimonion« des Sokrates gegeben. Im ›Symp.‹ ist vom »dämonischen Mann« die Rede, wobei man an Sokrates zu denken hat. Was diesen dämonischen Mann wie den Daimon Eros auszeichnet, das ist das »Zeugen im Geistigen«. Von Platons einzigartiger Auffassung des Daimons Eros als einer vornehmlich geistigen Produktivkraft läßt sich also über den römischen Genius, Inbegriff der höheren Geistesanlagen eines Menschen, zu der Genie-Idee der Neuzeit eine Brücke schlagen.

46 205 b. Sokrates unterscheidet zwischen Gattungs- und Artbegriff: Das Wort »poietes« (eigentlich »Macher«, »Schöpfer«) bezeichnet ursprünglich jedes künstlerische Schaffen, wird aber

hauptsächlich nur noch zur Bezeichnung der »Dichter« gebraucht.

47 206 c ff. Im folgenden lassen die griechischen Wörter keine genaue Unterscheidung zwischen Zeugung, Fortpflanzung, Schwangerschaft, Geburt usw. zu.

48 212 c. Vgl. dazu 205 d f.: »Es geht nun die Rede, daß diejenigen lieben, die ihre eigene Hälfte suchen«. Das zielt auf die Rede des Aristophanes 191 a ff., die Diotima ja nicht kennen kann. Aristophanes meint an der vorliegenden Stelle offenbar, daß Sokrates aus der Rolle gefallen sei, um ihn zu necken.

49 212 e. Efeu und Veilchen waren dem Dionysos und der Aphrodite heilig.

50 214 a. Der Psykter (Weinkühler) faßt 8 Kotylen (Becher), jede Kotyle 0,27 Liter; es ergeben sich also mehr als zwei Liter.

51 214 b. Ilias 11, 514.

52 217 e. Alkibiades zieht zwei sprichwörtliche Redensarten zu einer einzigen zusammen: »Wein und Wahrheit« und »Aus Wein und Kindern spricht die Wahrheit«. Wörtlich heißt es an dieser Stelle im ›Symp.‹: »Wenn nicht erstens nach dem Sprichwort aus Wein ohne Kinder und mit Kindern die Wahrheit spräche.«

53 219 a. Ilias 6,236, wo die Gastfreunde Glaukos und Diomedes ihre Rüstungen tauschen, die eine im Wert von hundert, die andere von neun Rindern.

54 220 c. Odyssee 4, 242.

55 221 b. Wolken 362.

Anmerkungen zum Nachwort

1 Vgl. S. 201, Anm. 7.
2 Vgl. Diels-Kranz, Fragmente der Vorsokratiker I 21 B 1, V. 17-20.
3 Vgl. Gespräch mit F. v. Müller am 7. April 1830 (hg. v. Biedermann).
4 Vgl. Plutarch, Pelopidas 18.
5 Diogenes Laertius III, 30.
6 Gesetze 636 cd.
7 Symp. 210 e, vgl. auch 208 b.
8 Philebos 64 a.
9 Phaidros 244 a-245 c; 265 ab.
10 Aristoteles, Rhetorik 1380 b 35-1381 a 1; Nikomachische Ethik 1155 a 2-5.
11 Phaidros 250 de.
12 Phaidros 252 b.
13 Staat 509 b.
14 Staat 508 a-509 c.
15 Staat 537 c; Phaidros 265 d.
16 Protagoras 343 ab.
17 Wolken V. 1005-1009.
18 Oidipus auf Kolonos V. 668-693.
19 ›paidagogein‹ – ›paiderastein‹ 210 e, 211 b; 209 bc.
20 7. Brief 341 cd.

Namenverzeichnis

umsetzte, ergänzte und berichtigte. Er wirkte um die Mitte des 5. Jh. v. Chr. 178 c.

Alkestis, Tochter des Pelias und Gattin des Admetos, des Königs von Thessalien. Als ihr Gatte eines frühen Todes sterben soll, doch gerettet werden kann, wenn ein anderer für ihn zu sterben bereit ist, opfert sich Alkestis. Zufällig kommt *Herakles* zu Admet. Als er von dem Unglück erfährt, jagt er dem Tod seine Beute wieder ab. Platon ignoriert allerdings diese gängige Sagenfassung, die *Euripides* seinem Alkestis-Drama zugrunde gelegt hat, und greift auf eine ältere Version zurück, wonach das Herrscherpaar der Unterwelt Alkestis wieder freigibt. 179 b ff. Das Opfer der A. wird von Diotima anders erklärt, 208 d.

Alkibiades, geboren kurz vor 450, aus altadligem Geschlecht, mit dem großen athenischen Gesetzgeber Kleisthenes verwandt. Im Hause seines Oheims und Vormunds *Perikles* wurde er erzogen. Zur Zeit des ›Symp.‹ (416) stand der mit außerordentlicher Schönheit und hervorragenden geistigen Fähigkeiten begabte, aber maßlose und ehrgeizige Fünfunddreißigjährige auf der Höhe seines Erfolgs: Nicht nur als Politiker – er führte die Demokraten –, auch als Olympiasieger war er damals die glanzvollste Erscheinung in Athen; im selben Jahr nahm er mit sieben Pferdegespannen an den Olympischen Wettkämpfen teil und wurde Erster und Zweiter. Ebenfalls 416 begann aber auch seine unheilvolle Rolle als Feldherr in der zweiten Hälfte des Peloponnesischen Krieges. Er vertrat den schärfsten Imperialismus bei der Annexion der kleinen Insel Melos, die ihre Neutralität heldenmütig gegen die Übermacht des attischen Seebundes zu verteidigen suchte. Nach ihrer Kapitulation wurden alle Männer getötet, Kinder und Frauen als Sklaven verkauft. 415 propagierte Alkibiades die Expedition nach Sizilien und wurde neben zwei anderen zu deren Führer gewählt. Diese militärische Unternehmung schlug fehl, und dies trug entscheidend zur Niederlage Athens im Krieg mit Sparta bei. Alkibiades wurde bereits vor seiner Ankunft in Sizilien nach Athen zurückberufen, weil Anklage wegen eines Religionsfrevels gegen ihn erhoben war. Da floh er nach Sparta und arbeitete nun gegen seine Vaterstadt. 411 schlug er sich wieder auf die Seite Athens und erhielt das Kommando über die athenische

Flotte. Nach den Seesiegen 410-408 feierte ihn das athenische Volk stürmisch als seinen Helden. Doch ein Mißerfolg seines Unterfeldherrn i. J. 407 brachte ihn erneut um die Volksgunst. So ging er ein zweites Mal ins Exil. Nach dem Fall Athens ließ ihn ein persischer Satrap in Melissa in Phrygien 404 ermorden.
Gesprächsteilnehmer im ›Symp.‹, seine Rede 215 a-222 b. Vgl. Nachwort S. 126 f., 151 ff.

Ananke, die schicksalhafte Notwendigkeit, als Göttin personifiziert. 195 c, 197 b.

Antenor, trojanischer Held, alt und erfahren wie Nestor. 221 c.

Aphrodite, Göttin der geschlechtlichen Liebe und der Schönheit. Bei *Homer* ist sie die Tochter des *Zeus* und der Dione und vermählt mit *Hephaistos*, dem lahmen Gott des Feuers und der Schmiedekunst wie des Kunsthandwerks insgesamt. Sie hintergeht ihn mit dem Kriegsgott *Ares*. Der berühmte Schwank von Ares und Aphrodite im 8. Buch der Odyssee V. 266 ff. hat dieses Liebesabenteuer zum Inhalt, worauf Agathon 196 d anspielt. Der Sohn des Ares und der Aphrodite ist *Eros*. Zu der anderen Auffassung von Eros als dem ältesten, elternlosen Gott s. *Eros, Hesiod*. Aphrodite hat auch den Beinamen »Urania«, die »Himmlische«. Diese hatte in Athen zwei Tempel, den einen auf dem Markthügel mit einem Kultbild des berühmten Bildhauers Phidias. Dagegen kennzeichnet der zweite Beiname »Pandemos«, »die dem ganzen Volk Gehörige«, die Göttin zunächst als bei allen Ständen und Gemeinden des Volkes gegenwärtig und für das ganze Volk sorgend. Der Tempel der Pandemos stand auf dem südwestlichen Abhang der Akropolis unterhalb des Niketempels. Da an diesen Tempel seit *Solon* die Organisation des Hetärenwesens geknüpft war, ist es verständlich, daß man ihren Namen umdeutete und aus der ursprünglichen Gemeindegöttin die Göttin der »allen gemeinen« sinnlichen Liebe wurde. Im Gegensatz zu ihr wurde die Urania die Göttin der nichtkörperlichen Liebe. *Pausanias* bannt in seiner Rede das sinnliche Element nicht völlig aus dieser Liebe, läßt sie aber ganz auf das Höhere, das Seelisch-Geistige, bezogen sein. 177 e, 180 d ff., 196 d, 203 b f.

Apollodoros aus Phaleron, ein schwärmerischer Anhänger des Sokrates und sein unzertrennlicher Begleiter. Im Prozeß gegen Sokrates erklärte er sich mit bereit zur Bürgschaft für die Geldstrafe, die Sokrates auf Drängen seiner Freunde schließlich für sich beantragte. Auch beim Tode des Sokrates ist er anwesend. Dabei charakterisiert Platon ihn als weich und überschwänglich in seinen Gefühlen (vgl. Symp. 173 d). Sonst wird er noch als naiv und treuherzig bezeichnet. Erzähler des Symposion. 172 a ff. Vgl. Nachwort S. 139.

Apollon, Sohn des *Zeus* und der Leto, Zwillingsbruder der Artemis. Als Gott, der die Krankheiten sendet – in der Ilias schickt er dem achäischen Heer die Pest – erhält er als Attribut den Bogen und wird so der Lehrmeister in der Kunst des Bogenschießens. Wer aber die Krankheit verhängt, kann sie auch beseitigen. So wird Apollon zum Heilgott. Mit dieser Funktion hängt auch die des Sühnegottes zusammen; er befreit ebenfalls von seelischer Krankheit und Verunreinigung. Am bekanntesten ist Apollon als Weissagegott; man denke an sein berühmtes Orakel in Delphi. Als Führer der Musen ist er Gott der Künste und Wissenschaften, besonders der Musik. Erst im 6. Jh. erscheint Apollon als die Sonne, eine für Platon wesentliche Vorstellung. 190 e, 197 a.

Ares, Kriegsgott, Sohn des *Zeus* und der Hera; s. *Aphrodite*. 196 d.

Aristodemos, aus der stadtathenischen Gemeinde Kydathenai, mit dem Beinamen »der Kleine«, ein begeisterter Verehrer und Anhänger des Sokrates, dem er auf Schritt und Tritt folgte, durch seine Barfüßigkeit als Sokratiker gekennzeichnet, vgl. 173 b. Platon läßt den Inhalt des Symposions durch ihn erzählen.
Den Namen dieses Hauptberichterstatters habe ich manchmal auch da eingefügt, wo im griechischen Text nur »sagte er« steht. Sein Name findet sich bei Platon an folgenden Stellen des Berichts: 173 b, 174 e, 175 a, 176 c, 178 a, 185 c, 198 a, 218 b, 223 b f. Vgl. Vorbemerkung zu den Anmerkungen und Nachwort S. 139.

Aristogeiton und *Harmodios*, die klassischen »Tyrannenmörder«, unternahmen es 514 v. Chr., die athenischen Tyrannen Hippias und Hipparchos, die Söhne des Peisistratos, zu töten. Hippias entkam dem Anschlag. Harmodios wurde sogleich niedergemacht, Aristogeiton hingerichtet. Nachdem 510 auch Hippias vertrieben war, feierte man das Freundespaar für alle Zeiten als Befreier Athens und Nationalhelden. Der von dem Geschichtsschreiber Thukydides geführte Nachweis, daß die Tyrannenmörder nicht durch ein politisches, sondern durch ein privates Motiv zu der Tat veranlaßt worden seien, vermochte die patriotische Legende nicht mehr ihrer Geltung zu berauben. 182 c. Vgl. Nachwort S. 133.

Aristophanes, der größte Komödiendichter der Griechen (etwa 445 bis nach 388 v. Chr.). Mit scharfem Witz und drastischen Späßen, doch auch voll urwüchsiger Phantasie nahm er das attische Leben seiner Zeit und die führenden Männer aufs Korn, so den *Sokrates* in seiner Komödie ›Die Wolken‹ (423), den *Agathon* in dem ›Thesmophorienfest‹ (411). Elf Stücke von ihm sind erhalten. Gesprächsteilnehmer im ›Symp.‹, seine Rede 189 c–193 d. Vgl. Nachwort S. 125 f., 155 f.

Arkadier, Volk in der Gebirgslandschaft inmitten der Peloponnes. 193 a. Ihr »Dioikismos« als Anhaltspunkt für die Datierung des ›Symp.‹: Vgl. Anm. 33.

Asklepios, Gott der Heilkunst, Sohn des *Apollon*. 186 e.

Ate, Personifikation der schicksalhaften Verblendung. 195 d.

Athene, Tochter des *Zeus*, aus seinem Haupt entsprungen. Schutzgöttin der Stadt Athen; Göttin des Handwerks und der Künste, im ›Symp.‹ als Erfinderin der Webkunst genannt. 197 b.

Boiotier, Stamm in Mittelgriechenland mit Theben als wichtigster Stadt. 182 b.

Brasidas, der hervorragendste spartanische Feldherr im ersten Teil des Peloponnesischen Krieges. 422 wurde er vor Amphipolis tödlich verwundet. Die Bewohner der Stadt errichteten ihm ein Denkmal und erwiesen ihm heroische Ehren. 221 c.

Chaos, der »klaffende«, leere, unendliche Raum, der nach *Hesiod* in der Weltentstehung als erstes da war. 178 b.

Charmides, Onkel Platons, gehörte wie dieser zum höchsten Adel Athens. Platon hat einen Dialog nach ihm benannt. 222 b.

Delion, Ort in Boiotien, wo die Athener im Peloponnesischen Krieg 424 v. Chr. eine Niederlage erlitten. 221 a.

Diokles, aus Athen, Vater des *Euthydemos*. 222 b.

Dione, Mutter der *Aphrodite*. 180 d.

Dionysos (oder Bakchos), Sohn des *Zeus* und der Thebanerin Semele. Theben in Boiotien wurde daher ein Hauptort seines Mythos und Kultes. Die Orgien, Kern des Dionysoskultes, fanden auf dem Parnaß, dem Gebirge nördlich von Delphi, statt. Als Vegetationsgott war er auch Gott des Weines. Teil seines Kultes waren die Aufführungen von Tragödien, Satyrspielen und Komödien. 175 e, 177 e. Vgl. Nachwort S. 128, 131.

Diotima, Priesterin aus *Mantineia*; sie belehrt *Sokrates* über den *Eros*. Sie soll durch ein Opfer einen zehnjährigen Aufschub der großen Pest bewirkt haben, die 430 v. Chr. zu Beginn des Peloponnesischen Krieges in Athen ausbrach und der auch *Perikles* zum Opfer fiel. Die Geschichtlichkeit dieser Gestalt ist umstritten. 201 d ff. Vgl. Nachwort S. 139 ff.

Elis, Landschaft in der westlichen Peloponnes mit Olympia. 182 b.

Ephialtes, Bruder des Otos, Gigant. Die beiden Riesen kündigten den Göttern den Kampf an und wollten auf den Olymp den Berg Ossa und auf diesen wiederum den Pelion türmen, um so den Himmel zu erstürmen, wurden aber vorher von *Apollon* getötet. 190 b.

Eros (lateinisch Amor), Liebesgott. Thema des ›Symp.‹ 177 a ff.; E. in der Dichtung besonders 178 a ff.

Im ›Symp.‹, wo es vorwiegend um den männlichen Eros geht, wird E. nur als Begleiter, nicht aber als Sohn *Aphrodites* genannt, 180 d, 181 a ff., 203 b f. Ältester, elternloser Gott als die zeugende, schöpferische Kraft in der Entwicklung vom Chaos zum Kosmos; 178 a ff., 188 a ff. Allegorie von E. als Sohn Wegfinders und der Armut, 203 b ff.

Zweifacher E. 180 c ff.; (Ausweitung auf Medizin, Musik, Kosmos) 186 a ff. E. vereint die entzweite Menschennatur 190 d ff., verbindet Götter und Menschen 202 e f.; in seiner Doppelnatur, als Zwischenwesen ist E. ein Daimon 202 b ff.

E. treibt zur Tugend an, 178 d ff.; soll sich mit Streben nach Tugend und Weisheit verbinden im Gegensatz zum rein körperlichen E., 183 d ff. Schönheit und Tugenden des E. und seine Wirkungen allgemein 195 a ff. E. als Zeugen im Schönen (körperlich, sittlich, politisch, künstlerisch, geistig) 206 b ff.; Stufenleiter des E. bis zur Idee des Schönen 210 a ff.

Eryximachos aus Athen, Sohn des *Akumenos*, wie dieser Arzt. Er ist ein Freund des *Phaidros*. Im Platonischen ›Protagoras‹ ist er ein aufmerksamer Hörer des Sophisten Hippias. Seine Rede im ›Symposion‹, 185 e–188 e, zeigt durchaus auch sophistisches Gepräge: er versucht sich als Polyhistor, der seine Disziplin in den weiteren Zusammenhang der Wissenschaften einordnen will. Dabei kehrt er – nicht eben passend in dem Rahmen gelockerter Geselligkeit – den Spezialisten heraus. Er wird insgesamt als etwas pedantisch und zudem als Mäßigkeitsapostel ironisiert.

Euripides, der jüngste der drei großen attischen Tragiker, geboren um 480 auf Salamis, gestorben 406 in Pella. Wie der jüngere Dichterkollege *Agathon* war er im Alter an den Hof des Makedonenkönigs Archelaos gegangen. Von ihm sind 19 Stücke erhalten, von den beiden anderen großen Tragikern *Aischylos* und Sophokles nur je sieben. Im Gegensatz zu den beiden älteren war er von dem modernen Gedankengut der sophistischen Aufklärung stark geprägt. Der kühne Neuerer hatte es schwer, sich durchzusetzen, um so größer war sein Nachruhm: er wurde schnell zum meistgelesenen Tragiker. Nicht zufällig wird er im ›Symp.‹ nach *Homer* am meisten zitiert: aus der ›Weisen Melanippe‹ 177 a, der ›Stheneboia‹ 196 e, dem ›Hippolytos‹ 199 a. Auf die *Alkestis*-Sage, die E. in seinem ersten erhaltenen Drama (von 438) gestaltet hat, wird im ›Symp.‹ zweimal Bezug genommen.

Euthydemos, Sohn des *Diokles*; gemeint ist hier nicht der Sophist dieses Namens, nach dem ein Dialog Platons benannt ist. Vielmehr ist er identisch mit dem gleichnamigen jungen Mann, den Sokrates in den ›Memorabilien‹ des Xenophon (IV,2 und 6) zu seiner Methode bekehrt.

Glaukon[1], wohl der jüngere Bruder Platons, der auch im Eingangsgespräch von Platons ›Parmenides‹ und als Gesprächspartner des Sokrates in Platons ›Staat‹ begegnet. Wie sein berühmterer Bruder hat er philosophische Dialoge geschrieben, von denen außer neun Titeln nichts überliefert ist. *Apollodoros* wiederholt gegenüber einem Freund den Bericht vom Symposion, den er vor kurzem dem Glaukon gegeben hatte; so wird es im Vorgespräch unseres Textes gesagt. Platon war ja genauso wie Apollodor und Glaukon zum angegebenen Zeitpunkt des Symposions bei *Agathon* i. J. 416 noch ein Kind (vgl. 173 a). Vielleicht will Platon mit der Erwähnung des Glaukon am Anfang des Textes (172 c) andeuten, daß er für die Niederschrift des ›Symp.‹ circa 35 Jahre später auch seinem eigenen Bruder Informationen verdankt.

Glaukon[2], Vater des *Charmides* und Großvater Platons. 222 b.

Gorgias, berühmter Sophist aus Leontinoi in Sizilien, lebte etwa von 485 bis 380 v. Chr.; er kam 427 als Gesandter seiner Vaterstadt nach Athen, wo er durch die Kunst seiner Rede ungeheuren Eindruck machte. In dem nach ihm benannten Dialog zeigt Platon seine Wirkung als Redner und Redelehrer; als Stilkünstler – man sprach direkt von gorgianischen Redefiguren – ist er Vorbild für *Agathon*; dies zeigt sich vor allem am Schluß seiner Rede. 198 c.

Hades, Gott der Unterwelt, Bruder des *Zeus*. Der Name wurde später auch auf das Reich des Hades, die Unterwelt, übertragen. 179 d, 192 e.

Harmodios, s. *Aristogeiton*.

Hektor, Sohn des Priamos und der Hekabe, Bruder des Paris, bei *Homer* Hauptheld der Troer. Als *Achilleus* grollend dem Kampf fernblieb, gelang es ihm, bis zu den Schiffen der Achäer vorzudringen und Feuer in sie zu werfen. Er tötete Patroklos, den Freund Achills, fiel aber später selbst von der Hand Achills. Dieser schleifte seinen Leichnam am Streitwagen über die Erde, gab ihn aber, vom Mitleid gerührt, dem Vater zur Bestattung heraus. 179 e.

Hephaistos, Gott des Feuers, der Schmiedekunst und des Handwerks, Sohn des *Zeus* und der Hera; s. *Aphrodite*. 192 d, 197 b.

Herakles, Halbgott, Sohn des *Zeus* und der Alkmene; Nationalheld der Griechen, bekannt vor allem durch seine zwölf »Arbeiten«. Die Parabel von Herakles am Scheidewege, wo H. zwischen zwei Frauen, den Personifikationen der Lust und der Tugend, zu wählen hat, erzählt der Sophist *Prodikos*. 177 b.

Heraklit (gr. Herakleitos) aus Ephesos, Ende des 6. Jh. v. Chr., einer der bedeutendsten griechischen Philosophen mit weitreichender Wirkung, gerade auch auf Platon. Wie die Formel »Alles fließt«, so ist ebenfalls der im ›Symp.‹ wiedergegebene Aphorismus vom »Einigentgegengesetzten« für seine Lehre zentral. Sein Werk bestand auch sonst aus Sätzen von knappster und höchst eigenwilliger Prägung, so daß ihn schon das Altertum »den Dunklen« nannte. 187 a. Vgl. auch Anm. 25.

Hesiod, epischer Dichter aus Askra in *Boiotien*, um 700 v. Chr. Er nennt als erster in seiner Theogonie (116 ff.) Eros als Gott. E. ist der älteste Gott und elternlos; er steht als mythische Inkarnation der Urpotenz am Anfang der Schöpfung. Dieser Hesiodische Mythos entspricht der Platonischen Auffassung vom Eros als einem – im wesentlichen sublimierten – Zeugungsdrang in ganz anderem Maße als die vor allem seit dem 4. Jh. verbreitete, volkstümliche Vorstellung vom kindlich verspielten Aphrodite-Sohn; vgl. *Aphrodite* und *Eros*.
Daß Eros als Gott überhaupt zum ersten Mal bei Hesiod belegt ist, mag damit zusammenhängen, daß in Thespiä, in der Nähe seines Geburtsortes, sich die berühmteste Kultstätte des Eros befand; verehrt wurde ein uralter Steinfetisch. Später stand dort eine Eros-Statue des großen Bildhauers Praxiteles aus dem 4. Jh. 178 b f., 195 c, 209 d.

Homer: Über seine Person gibt es keine sichere Nachricht. Selbst seinen Namen versuchte man schon im Altertum als redenden Namen zu erklären (als »der nicht Sehende«, als blinder Sänger lebt er in der Legende). Daß er aus Smyrna oder von Chios stammt, ist am wahrscheinlichsten. Er hat um 800 v. Chr. gelebt. Das ältere Epos, die ›Ilias‹, gilt als sein Werk. Ob er auch der Dichter der ›Odyssee‹ ist, war schon in der Antike umstritten. Das jüngere Epos gehört in die Mitte des 8. Jh. Für die Griechen war Homers Werk das Buch der Bücher. An Festen trugen Rhapsoden öffentlich daraus vor. So ist es nicht verwunderlich, daß auch im ›Symp.‹ die mit Abstand meisten Zitate aus Homers Epen stammen. 174 b f., 179 b, 180 a, 190 b, 195 d, 198 c, 209 d.

Iapetos, Titan, Sohn des *Uranos* (Himmel) und der Gaia (Erde), Vater des Prometheus und des Epimetheus sowie des Atlas. 195 b.

Ionien, Ionier, griechischer Stamm in Attika, Euboia und auf den Kykladen; als Ionien im engeren Sinn galt das mittlere Gebiet der kleinasiatischen Küste samt den vorgelagerten Inseln. 182 b, 220 c. Zur Unterwerfung der Ionier unter die persische Herrschaft als Anhaltspunkt für die Datierung des ›Symp.‹ vgl. Anm. 33.

Kodros, sagenhafter König von Athen. Da ein Orakel die Rettung Athens vor den angreifenden Peloponnesiern weissagte, wenn ihr König K. umkäme, begab sich dieser verkleidet in das Lager der Feinde und starb den Opfertod. 208 d.

Korybanten (im Text: korybantisch); Priester der phrygischen Göttin Kybele. Sie versetzten sich durch rauschhafte Musik und wilden Tanz in einen Zustand der Raserei und Verzückung. 215 e.

Kronos, Sohn des *Uranos* und der Gaia, Bruder des *Iapetos*; der bedeutendste der Titanen, Weltherrscher, Vater des *Zeus*, der ihn schließlich stürzt. 195 b.

Kydathenai, Stadtteil Athens südlich der Akropolis. 173 b.

Laches, athenischer Feldherr in der ersten Hälfte des Peloponnesischen Krieges, gefallen 418 v. Chr. bei *Mantineia*. Platon hat einen Dialog (›Über die Tapferkeit‹) nach ihm benannt. 221 a f.

Lykeion, der heilige Hain des *Apollon* Lykeios im Nordosten Athens, in der Nähe des Akademie-Parks; zur Zeit des *Sokrates* ein Gymnasion (Sportanlagen mit Aufenthaltsräumen und Wandelhallen). Nachdem sich Aristoteles 335 v. Chr. von der Akademie getrennt hatte, gründete er im Lykeion seine eigene Philosophenschule (Vgl. »Lyzeum«, »lycée«). 223 d. Vgl. Nachwort S. 156 f.

Lykurgos, legendärer Gesetzgeber Spartas, vielleicht aus dem 8. Jh. v. Chr. 209 d.

Mantineia, Stadt im östlichen Arkadien; s. *Diotima*. 201 d, 211 d.

Marsyas, phrygischer Halbgott aus dem Gefolge der Kybele (s. auch *Korybanten*). Die einwandernden Griechen machten ihn zum Silen. Als Meister im Flötenspiel fordert er den Gott Apollo, der die Kithara spielt, zum musikalischen Wettkampf heraus, er unterliegt und wird zur Strafe geschunden. 215 b ff.

Melanippe, s. *Euripides*. 177 a.

Menelaos, König von Sparta, Bruder *Agamemnons*, Gemahl der Helena. 174 c.

Musen, Töchter des *Zeus* und der Mnemosyne (Erinnerung), als göttliche Nymphen Schützerinnen der Musik (auch des Gesangs und des Tanzes), der Dichtung und der Wissenschaft (d. h. aller nichthandwerklichen Künste). Aus der ursprünglich einzelnen Muse ist schon bei *Homer* und *Hesiod* ein Chor von neun Schwestern geworden, die dem Göttermahle im Olymp beiwohnen, auf Erden in Pierien (östlich des Olymp), auf dem boiotischen Helikongebirge bei der Quelle Hippokrene oder auf dem Parnaß bei Delphi an der Quelle Kastalia unter der Führung *Apollons* tanzen und singen. 197 b.

Myrrhinus, Gemeinde an der Ostküste Attikas. 176 d.

Nestor, König von Pylos an der Ostküste der Peloponnes, nahm als Greis am Trojanischen Krieg teil und war als weiser Ratgeber hochangesehen. 221 c.

Oiagros, s. *Orpheus*. 179 d.

Olympos, berühmter phrygischer Flötenspieler, eine legendäre Gestalt wohl aus dem 8. Jh. v. Chr., Schüler des *Marsyas*. 215 c.

Orpheus, Sohn des thrakischen Flußgottes *Oiagros* und der *Muse* Kalliope, mythischer Sänger und Kitharaspieler; er gilt bisweilen als Erfinder der Musik überhaupt. Mit seinem Gesang und Saitenspiel kann O. sogar Tiere und Pflanzen bezaubern. Die überwältigende Wirkung seiner Kunst beweist O. in der Unterwelt. Seine Gattin Eurydike ist gestorben, doch *Hades* läßt sich zu ihrer Rückgabe erweichen – unter der Bedingung, daß O. vor der Rückkehr an die Oberwelt sich nicht nach ihr umsieht. Von Sehnsucht überwältigt blickt O. zurück und Eurydike entschwindet, diesmal für immer, in die Unterwelt.
In seiner abschätzigen Bewertung des O. wie in der Begründung seines »Todes durch Weiberhand« hat Platon die herkömmliche Sage willkürlich verändert; nach der üblichen Version beachtet O. nach Eurydikes Tod nicht mehr die Frauen und wird deshalb von thrakischen Mänaden zerrissen. 179 d f., vgl. Anm. 20.

Otos, s. *Ephialtes*. 190 b.

Parmenides, aus dem unteritalischen Elea, Hauptvertreter der eleatischen Philosophie zu Beginn des 5. Jh. v. Chr. Im Zentrum seiner Lehre steht das Seiende, das eines, ewig und unveränderlich ist. Das ist die Gegenposition zu *Heraklits* »Alles fließt«. Werden und Vergehen und Veränderung sieht P. nur in der Scheinwelt der Dinge und Meinungen, die dem wahren Seienden gegenübersteht. Platons Ideenkonzeption ist von P. beeinflußt, der auch Gesprächspartner im gleichnamigen Dialog ist. 178 b, 195 c.

Patroklos, Freund des *Achilleus*. 179 e, 180 a, 208 d.

Pausanias, Athener aus dem Demos Kerameis, Freund des *Agathon*. Er scheint ihn auch – vielleicht 405 – nach Pella an den Hof des makedonischen Königs Archelaos begleitet zu haben. Während er bei Xenophon als offener Vertreter der grob-sinnlichen Männerliebe erscheint, tritt er bei Platon für einen verfeinerten sinnlichen Eros ein. Seine Rede verrät eine intensive sophistische und rhetorische Bildung. Gesprächsteilnehmer im ›Symp.‹; seine Rede 180c-185 c. Vgl. Nachwort S. 133 f., 136 ff.

Pelias, Vater der *Alkestis*. 179 b.

Perikles, geboren 495/90, aus altadligem athenischem Geschlecht, Großneffe des Gesetzgebers Kleisthenes, Oheim des *Alkibiades*; der Staatsmann, unter dem Athen seine höchste kulturelle und politische Blütezeit erlebt hat. Er starb 429 während des Peloponnesischen Krieges an der Pest. 215 e, 221 c.

Phaidros, aus dem Demos *Myrrhinus*, ein reicher und gebildeter Athener, in Platons ›Protagoras‹ wie in dem nach ihm benannten Dialog ›Phaidros‹ als Bewunderer der Sophisten charakterisiert. Brennendes Interesse für Reden über den Eros zeigt er nicht nur im ›Symp.‹, wo er der »Vater des Themas« ist, sondern auch im ›Phaidros‹-Dialog, in dem er dem *Sokrates* eine Eros-Rede vorliest. Er war mit Sokrates bekannt, gehörte aber nicht zu seinem Schülerkreis.
Gesprächspartner im ›Symp.‹; seine Rede 178 a-180 b. Vgl. Nachwort S. 132 ff., 137.

Phaleron, der älteste und vor dem Ausbau des Piräus wichtigste Hafen von Athen. 172 a.

Philippos, Vater des Phoinix, sonst unbekannt. 172 b.

Phoinix, Sohn des Philippos, ein weiterer Berichterstatter über das Symposion. Sein Bericht geht ebenfalls auf *Aristodemos* zurück, und er wird über einen Dritten dem *Glaukon*[1] vermittelt. Sonst ist Ph. unbekannt. 172 b, 173 b. Vgl. Vorbemerkung zu den Anmerkungen.

Polyhymnia, *Muse* des Gesangs und des Tanzes. 187 e.

Poseidon, Bruder des *Zeus*, des *Hades* und der Hera, Beherrscher des Meers. Ursprünglich wohl in Gestalt eines Pferdes gedacht, blieb er der Gott der Pferde und des ritterlichen Pferderennens. Daher schwor man in ritterlichen Kreisen gern bei ihm. 214 d.

Poteidaia, wichtigste Griechenstadt Thrakiens, zu Beginn des Peloponnesischen Krieges jahrelang von den Athenern belagert und schließlich 429 erobert. 219 e, 221 a.

Prodikos, von Keos, ein Sophist, dessen Vorträge auch *Sokrates* zum Teil gehört hat. Von ihm stammt die bekannte Parabel von *Herakles* am Scheidewege. 177 b.

Satyrn, Silenen: Die Satyrn sind ausgelassene, derbsinnliche Begleiter des *Dionysos*, halbtierische Wesen mit Pferdeohren, Pferdeschwanz und Hufen, zumeist ithyphallisch; S. als Bockwesen gehören erst in die hellenistische Zeit. Sie sind von den Silenen schwer zu unterscheiden: *Marsyas* wird bald als Satyr, bald als Silen bezeichnet. Oft sah man in den Silenen ältere Satyrn. So galt auch der einzelne Silen als Vater und Führer etwa des Satyrchors im Satyrspiel. S.-Darstellungen auf Vasenbildern sind sehr häufig. Als Gefolge des Weingottes und Weinliebhaber waren sie das passende Sujet für Weingefäße. 215 a f., 221 d, 222 d. Zum »Satyrspiel« des Alkibiades und zum »Satyr« Sokrates vgl. Nachwort S. 125 f. und 152.

Sirenen, Fabelwesen, in deren Gestalt Mädchen- und Vogelleib gemischt sind; sie locken mit ihrem Gesang die Schiffer zu sich heran, um sie zu vernichten. Odysseus gelingt es, heil an ihnen vorbeizukommen, weil er seine Gefährten sich die Ohren mit Wachs zustopfen und sich selbst an den Mast seines Schiffes binden ließ. 216 a.

Sokrates, 469-399 v. Chr., der Begründer einer neuen Epoche in der griechischen Philosophie. Er habe, so lautet eine antike Formel, als erster die Philosophie vom Himmel herab und ins Leben der Menschen hineingeholt. Er hat selbst nichts geschrieben; wir kennen ihn durch die Schriften seiner Schüler, vor allem Platons und Xenophons. Diese haben seine Gestalt idealisiert; umgekehrt hat *Aristophanes* S. in seinen ›Wolken‹ als Sophisten karikiert. Nach Platon und Xenophon war S. Sohn des Bildhauers Sophroniskos und der Hebamme Phainarete aus dem attischen Bezirk Alopeke. Die Berufe und die redenden Namen der Eltern passen zu gut auf S., als daß sie so ohne weiteres für historisch gelten dürften. S. ist der Menschenbildner, der Weise (»sophron«), der in der Ironie sich selbst geringer hinstellt (»-iskos« ist Diminutivendung); er setzt sich zum Ziel, die

Tugend sichtbar aufzuzeigen (»phainein ten areten«) und bezeichnet seine Methode metaphorisch als Geburtshilfe.
Nur wenige Daten aus seinem Leben sind uns zuverlässig bekannt. Verheiratet war er mit Xanthippe; er hatte drei Söhne, von denen zwei bei seinem Tode noch Kinder waren. Die Vaterstadt Athen hat er nie verlassen außer bei den Feldzügen, in denen er als schwerbewaffneter Fußsoldat seine Bürgerpflicht erfüllte. (Dies widerspricht der von Platon erwähnten Armut des S.; denn die Stellung einer schweren Rüstung wurde nur den Angehörigen des Mittelstandes zugemutet.) Von den drei Feldzügen des Peloponnesischen Krieges, an denen S. teilnahm, sind zwei im ›Symp.‹ erwähnt: nach *Poteidaia* (432) und *Delion* (424); der dritte führte nach Amphipolis (422). Ein politisches Amt bekleidete S. 406: da war er vorsitzender Prytane in der Ratsversammlung und weigerte sich als einziger Ratsherr, die verfassungswidrige Volksabstimmung vorzunehmen, in welcher die Feldherrn der Arginusenschlacht zum Tode verurteilt wurden. 404/3 hat sich S. gegen den Befehl der vom siegreichen Sparta eingesetzten Dreißig Tyrannen geweigert, an der Verhaftung eines Mitbürgers mitzuwirken. Durch seinen Tod gab S. seinen Freunden das große Beispiel der Bewährung. Als er sich gegen die Anklage verteidigte, er verderbe die Jugend und glaube nicht an die Götter des Staates, schmeichelte er den Richtern nicht, sondern sagte bis zuletzt die unbequeme Wahrheit. Er lehnte ab, als Freunde ihm die Flucht aus dem Gefängnis ermöglichen wollten. Die letzten Stunden verbrachte er im philosophischen Gespräch und trank schließlich gelassen den Schierlingsbecher (dies war die staatliche Hinrichtungsart). Die antiken Christen haben nicht selten seinen Tod mit demjenigen Christi verglichen. Gesprächsteilnehmer im ›Symp.‹; seine Rede und die Diotimas 201 d–212 c. Vgl. Nachwort S. 124 ff., 137 ff., 151 ff.

Solon, berühmter athenischer Staatsmann und Dichter aus altem Königsgeschlecht. 594 v. Chr. gab er der Stadt eine neue Verfassung, in der er die strengen Gesetze Drakons milderte und einen Ausgleich zwischen Adel und Volk anstrebte. 209 d.

Thetis, Meeresgöttin, mit dem sterblichen Peleus vermählt. Mutter des *Achilleus*. 179 e.

Urania, eigentlich die »Himmlische«, *Muse* der Astronomie.

Uranos, der Himmel, Gemahl der Erde (Gaia), Vater der Titanen, Kyklopen und Hekatoncheiren (hundertarmige Riesen); schließlich ist U. Ahnherr aller Götter. Voll Zorn, daß U. die Kyklopen und Hekatoncheiren in den Tartaros geworfen hat, ruft Gaia die Titanen zum Kampf gegen den Vater auf. Ihr jüngster Sohn *Kronos* bemächtigt sich mit Hilfe der anderen Titanen der Weltherrschaft, nachdem er dem U. mit einer Sichel die Geschlechtsteile abgeschnitten hat. Er wirft sie ins Meer, und aus dem Schaum, der sich rings um sie aufwirft, entsteht *Aphrodite*. 180 d. Vgl. 195 c.

Zeus, Sohn des *Kronos* und der Rheia, höchster Gott der Griechen. Kronos, der einst seinen Vater *Uranos* gestürzt und sich der Weltherrschaft bemächtigt hat, wird seinerseits von seinem jüngsten Sohn Z. überwunden. In gewaltigem Kampf besiegen Z. und seine Geschwister Kronos und die Titanen und stürzen sie in den Tartaros. Z., *Poseidon* und *Hades* teilen sich nun die Herrschaft über Himmel und Erde, Meer sowie Unterwelt. Aber die Herrschaft der Olympier ist noch nicht endgültig gesichert. Gaia (Erde), dem Uranos (Himmel) vermählt, hatte aus den Blutstropfen, die bei dessen Verwundung durch Kronos auf sie herabfielen, die Giganten geboren; sie treten zum himmelstürmenden Kampf an und werden vernichtet (s. *Ephialtes* und *Otos*). Als Himmels- und Wettergott ist Z. nun Herr über Götter und Menschen, doch als deren »Vater« auch Hort aller Rechtsordnung, daher auch Schwurgott, vgl. z. B. 173 b; 180 d (Vater der *Aphrodite*); 190 c ff., 197 b, 203 b.

Alte Welt und Mittelalter
im insel taschenbuch

Apuleius: Der goldene Esel. Mit Illustrationen von Max Klinger zu ›Amor und Psyche‹. Aus dem Lateinischen von August Rode. Mit einem Nachwort von Wilhelm Haupt. it 146

Augustinus: Bekenntnisse. Lateinisch und deutsch. Eingeleitet, übersetzt und erläutert von Joseph Bernhart. Mit einem Vorwort von Ernst Ludwig Grasmück. it 1002

Joseph Bédier: Der Roman von Tristan und Isolde. Mit Holzschnitten von 1484. Deutsch von Rudolf G. Binding. it 387

Boethius: Trost der Philosophie. Zweisprachige Ausgabe. Lateinisch und deutsch. Mit einem Nachwort von Ernst Ludwig Grasmück. it 1215

Otto Borst: Alltagsleben im Mittelalter. Mit zeitgenössischen Abbildungen. it 513

Roberto Calasso: Die Hochzeit von Kadmos und Harmonia. Aus dem Italienischen von Moshe Kahn. it 1476

Catull: Sämtliche Gedichte. Lateinisch und deutsch. Aus dem Lateinischen von Carl Fischer. Mit einem Nachwort von Bernhard Kytzler. it 1736

Dante: Die Göttliche Komödie. Mit fünfzig Holzschnitten von Botticelli. Deutsch von Friedrich Freiherr von Falkenhausen. 2 Bde. it 94

Epiktet: Wege zum glücklichen Handeln. Aus dem Lateinischen von Wilhelm Capelle. it 1458

Epikur: Philosophie der Freude. Briefe, Hauptlehrsätze, Spruchsammlung, Fragmente. Übertragen und mit einem Nachwort versehen von Paul M. Laskowsky. it 1057

Das Evangeliar Heinrichs des Löwen. Erläutert von Elisabeth Klemm. Mit farbigen Bildtafeln. it 1121

Geschichten aus dem Mittelalter. Herausgegeben von Hermann Hesse. Aus dem Lateinischen übersetzt von Hermann Hesse und J. G. T. Graesse und mit Nacherzählungen von Leo Greiner. Neu zusammengestellt von Volker Michels. it 161

Götter, Spötter und Verrückte. Antike Anekdoten. Herausgegeben von Gerhard Fink. it 1720

Griechisches Theater. Aischylos: Die Perser. Die Sieben gegen Theben. Sophokles: Antigone. König Ödipus. Elektra. Aristophanes: Die Vögel. Lysistrata. Menander: Das Schiedsgericht. Deutsch von Wolfgang Schadewaldt. it 721

Herman Grimm: Das Leben Michelangelos. it 1758

Helmut Hiller: Heinrich der Löwe. Herzog und Rebell. Eine Chronik von Helmut Hiller. it 922

151/1/12.95

Alte Welt und Mittelalter im insel taschenbuch

Homer: Ilias. Neue Übertragung von Wolfgang Schadewaldt. Mit antiken Vasenbildern. it 153

Ilias. Odyssee. In der Übertragung von Johann Heinrich Voß. it 1204

Horaz: Oden. Lateinisch und deutsch. Neu übertragen von Winfried Tilmann. it 1418

Ibn Hazm al Andalusi: Von der Liebe und den Liebenden. Aus dem arabischen Urtext übertragen von Max Weißweiler. it 1757

Klosterleben im deutschen Mittelalter. Nach zeitgenössischen Quellen von Johannes Bühler. Mit zahlreichen Abbildungen. Herausgegeben von Georg A. Narciß. it 1135

Christoph Kolumbus: Bordbuch. Mit einem Nachwort von Frauke Gewecke und zeitgenössischen Illustrationen. it 476

Longus: Daphnis und Chloë. Ein antiker Liebesroman. Aus dem Griechischen übersetzt und mit einem Nachwort von Arno Mauersberger. Mit Illustrationen der »Edition du Régent«. it 136

Thomas Malory: Die Geschichten von König Artus und den Rittern seiner Tafelrunde. 3 Bde. Übertragen von Helmut Findeisen auf der Grundlage der Lachmannschen Übersetzung. Mit einem Nachwort von Walter Martin. Mit Illustrationen von Aubrey Beardsley. it 239

Marc Aurel: Selbstbetrachtungen. Aus dem Lateinischen von Otto Kiefer. Mit einem Vorwort von Klaus Sallmann. it 1374

Meister Eckhart: Das Buch der göttlichen Tröstung. Ins Neuhochdeutsche übertragen von Josef Quint. it 1005

Minnesinger. In Bildern der Manessischen Liederhandschrift. Mit Erläuterungen herausgegeben von Walter Koschorreck. Vierundzwanzig Abbildungen. it 88

Die Nibelungen. In der Wiedergabe von Franz Keim. Mit Illustrationen von Carl Otto Czeschka. Mit einem Vor- und Nachwort von Helmut Brackert. Im Anhang die Nacherzählung ›Die Nibelungen‹ von Gretel und Wolfgang Hecht. it 14

Ovid: Liebeskunst. Nach der Übersetzung von W. Hertzberg. Bearbeitet von Franz Burger-München. Mit Abbildungen nach etruskischen Wandmalereien. it 164

– Metamorphosen. In der Übertragung von Johann Heinrich Voß. Mit den Radierungen von Pablo Picasso und einem Nachwort von Bernhard Kytzler. it 1237

Francesco Petrarca: Dichtungen. Briefe. Schriften. Auswahl und Einleitung von Hanns W. Eppelsheimer. it 486

151/2/12.95

Alte Welt und Mittelalter im insel taschenbuch

Platon: Sämtliche Werke. Griechisch und deutsch. Nach der Übersetzung Friedrich Schleiermachers, ergänzt durch Übersetzungen von Franz Susemihl u.a. Griechischer Text nach der letztgültigen Gesamtausgabe der Association Guillaume Budé. Herausgegeben von Karlheinz Hülser. Zehn Bände in Kassette. it 1401-1410

Band I: Ion. Protagoras. Apologie. Kriton. Laches. Lysis. Charmides. it 1401
Band II: Euthyphron. Alkibiades I. Gorgias. Menexenos. it 1402
Band III: Menon. Kratylos. Euthydemos. Hippias maior. it 1403
Band IV: Hippias minor. Symposion. Phaidon. it 1404
Band V: Politeia. it 1405
Band VI: Phaidros. Theaitetos. it 1406
Band VII: Parmenides. Sophistes. Politikos. it 1407
Band VIII: Philebos. Timaios. Kritias. it 1408
Band IX: Nomoi. it 1409
Band X: Briefe. Unechtes. it 1410

– Das Trinkgelage oder Über den Eros. Übertragung, Nachwort und Erläuterungen von Ute Schmidt-Berger. Mit einer Wirkungsgeschichte von Jochen Schmidt und griechischen Vasenbildern. it 681

Der Sachsenspiegel in Bildern. Aus der Heidelberger Bilderhandschrift ausgewählt und erläutert von Walter Koschorreck. it 218

Sappho. Neu übertragen und kommentiert von Stefanie Preiswerk-zum Stein. Mit farbigen Abbildungen. it 1229

Sappho: Strophen und Verse. Übersetzt und herausgegeben von Joachim Schickel. it 309

Gustav Schwab: Sagen des klassischen Altertums. 3 Bde. Mit sechsundneunzig Zeichnungen von John Flaxman und einem Nachwort von Manfred Lemmer. it 127

Seneca für Manager. Sentenzen. Ausgewählt und übersetzt von Gerhard Schoeck. it 1656

Seneca: Vom glücklichen Leben. Philosophische Schriften und Briefe. Herausgegeben und aus dem Lateinischen übertragen von Heinz Berthold. it 1457

– Von der Seelenruhe. Philosophische Schriften und Briefe. Herausgegeben und aus dem Lateinischen übertragen von Heinz Berthold. it 743

Sophokles: Aias. Übertragen von Wolfgang Schadewaldt. Herausgegeben von Hellmut Flashar. Mit zahlreichen Abbildungen. it 1562

– Antigone. Übertragen und herausgegeben von Wolfgang Schadewaldt. Mit einem Nachwort, einem Aufsatz, Wirkungsgeschichte und Literaturhinweisen. it 70

151/3/12.95

Alte Welt und Mittelalter im insel taschenbuch

Sophokles: Antigone. Übersetzt von Hölderlin. Bearbeitet von Martin Walser und Edgar Selge. it 1248

– Elektra. Übertragen von Wolfgang Schadewaldt. Herausgegeben von Hellmut Flashar. Mit zahlreichen Abbildungen. it 1616

– König Ödipus. Übertragen und herausgegeben von Wolfgang Schadewaldt. Mit einem Nachwort, drei Aufsätzen, Wirkungsgeschichte und Literaturnachweisen. it 15

– Ödipus auf Kolonos. Übertragen von Wolfgang Schadewaldt. Herausgegeben von Hellmut Fischer. Mit zahlreichen Abbildungen. it 1782

Tacitus: Germania. Zweisprachig. Übertragen und erläutert von Arno Mauersberger. it 471

Der tanzende Tod. Mittelalterliche Totentänze. Herausgegeben, eingeleitet und übersetzt von Gert Kaiser. it 647

François Villon: Sämtliche Dichtungen. Zweisprachige Ausgabe. Aus dem Französischen von Walther Küchler. it 1039

151/4/12.95

Philosophie
im insel taschenbuch

Alain: Im Haus des Menschen. Betrachtungen. Übersetzt und mit einem Nachwort herausgegeben von Franz Joseph Krebs. it 1922

– Sich beobachten heißt sich verändern. Betrachtungen. Auswahl, Übersetzung und Nachwort von Franz Josef Krebs. Neuübersetzung. it 1559

Augustinus: Bekenntnisse. Lateinisch und deutsch. Eingeleitet, übersetzt und erläutert von Joseph Bernhart. Mit einem Vorwort von Ernst Ludwig Grasmück. it 1002

Francis Bacon: Essays. Herausgegeben und mit einem Nachwort versehen von Helmut Winter. it 1514

Jakob Böhme: Aurora oder Morgenröte im Aufgang. Herausgegeben von Gerhard Wehr. it 1411

– Christosophia. Ein christlicher Einweihungsweg. Herausgegeben von Gerhard Wehr. it 1412

– Theosophische Sendbriefe. Herausgegeben von Gerhard Wehr. it 1786

– Von der Gnadenwahl. Herausgegeben von Gerhard Wehr. it 1738

– Von der Menschwerdung Christi. Herausgegeben von Gerhard Wehr. it 1737

Boethius: Trost der Philosophie. Zweisprachige Ausgabe. Lateinisch und deutsch. Mit einem Nachwort von Ernst Ludwig Grasmück. it 1215

Paul Davies: Der Plan Gottes. Die Rätsel unserer Existenz und die Wissenschaft. Aus dem Englischen von Anita Ehlers. it 1934

Denken mit Diderot und anderen Philosophen. Herausgegeben von Horst Günther. it 1746

Epiktet: Wege zum glücklichen Handeln. Aus dem Lateinischen von Wilhelm Capelle. it 1458

– Wege zum glücklichen Handeln. Aus dem Lateinischen von Wilhelm Capelle. Mit einem Nachwort von Manfred Fuhrmann. Großdruck. it 2359

Epikur: Philosophie der Freude. Briefe, Hauptlehrsätze, Spruchsammlung, Fragmente. Übertragen und mit einem Nachwort versehen von Paul M. Laskowsky. it 1057

Die Erfindung des Universums. Neue Überlegungen zur philosophischen Kosmologie. Herausgegeben von Walter Saltzer, Peter Eisenhardt, Dan Kurth und Rainer E. Zimmermann. Mit etwa 50 Abbildungen. it 1933

Hippokrates: Der Eid des Arztes. Vom Gelöbnis, Leben zu erhalten. Griechisch und deutsch. Neu übersetzt und herausgegeben von Kurt Steinmann. it 1882

167/1/12.96

Philosophie
im insel taschenbuch

Bernulf Kanitscheider: Auf der Suche nach dem Sinn. it 1748

Kant-Brevier. Ein philosophisches Lesebuch für freie Minuten. Herausgegeben von Wilhelm Weischedel. it 61

Sören Kierkegaard: Tagebuch des Verführers. Aus dem Dänischen von Helene Ritzerfeld. it 405

Gottfried Wilhelm Leibniz: Monadologie. Herausgegeben von Dietmar Till. it 1832

Machiavelli für Manager. Sentenzen. Ausgewählt von Luigi und Elena Spagnol. it 1733

Niccolò Machiavelli: Der Fürst. Aus dem Italienischen von Friedrich von Oppeln-Bronikowski. Mit einem Nachwort von Horst Günther. it 1207

Marc Aurel: Selbstbetrachtungen. Aus dem Lateinischen von Otto Kiefer. Mit einem Vorwort von Klaus Sallmann. it 1374

Meister Eckhart: Das Buch der göttlichen Tröstung. Ins Neuhochdeutsche übertragen von Josef Quint. it 1005

Michel de Montaigne: Essais. Herausgegeben und mit einem Nachwort versehen von Ralph-Rainer Wuthenow. Revidierte Fassung der Übertragung von Johann Joachim Bode. it 220

Thomas Morus: Utopia. Mit einem Nachwort von Norbert Elias. it 1206

Franz Moser: Bewußtsein in Raum und Zeit. Grundlagen der holistischen Weltsicht. it 1797

Friedrich Nietzsche: Also sprach Zarathustra. Ein Buch für alle und keinen. Thomas Mann: Die Philosophie Nietzsches im Lichte unserer Erfahrung. it 145

– Der Antichrist. Versuch einer Kritik des Christentums. it 947

– Briefe. Ausgewählt von Richard Oehler. Mit einem Essay von Ralph-Rainer Wuthenow. it 1546

– Ecce homo. Mit einem Vorwort von Raoul Richter und einem Nachwort von Ralph-Rainer Wuthenow. it 290

– Die fröhliche Wissenschaft. Mit einem Nachwort von Ralph-Rainer Wuthenow. it 635

– Die Geburt der Tragödie aus dem Geiste der Musik. Mit einem Nachwort von Peter Sloterdijk. it 1012

– Gedichte. Herausgegeben von Karl Riha. it 1622

– Zur Genealogie der Moral. Eine Streitschrift. it 1308

– Götzen-Dämmerung oder Wie man mit dem Hammer philosophiert. it 822

167/2/12.96

Philosophie
im insel taschenbuch

Friedrich Nietzsche: Jenseits von Gut und Böse. Mit der Streitschrift ›Zur Genealogie der Moral‹ und einem Nachwort von Ralph-Rainer Wuthenow. it 762

– Menschliches, Allzumenschliches. Ein Buch für freie Geister. Mit einem Nachwort von Ralph-Rainer Wuthenow. it 614

– Morgenröte. Gedanken über die moralischen Vorurteile. Mit einem Nachwort von Ralph-Rainer Wuthenow. it 678

– Über die Frauen. Herausgegeben und mit einem Nachwort versehen von Klaus Goch. it 1335

– Unzeitgemäße Betrachtungen. Mit einem Nachwort von Ralph-Rainer Wuthenow. it 509

– Vom Nutzen und Nachteil der Historie für das Leben. it 1236

– ›Wie man wird, was man ist.‹ Ermutigungen zum kritischen Denken. Herausgegeben von Ursula Michels-Wenz. it 1096

Jean Orieux: Das Leben des Voltaire. Aus dem Französischen von Julia Kirchner. Mit einer Zeittafel und einem kommentierten Personenregister. it 1651

Blaise Pascal: Größe und Elend des Menschen. Aus den »Pensées«. Auswahl, Übersetzung und Nachwort von Wilhelm Weischedel. it 441

Platon: Apologie. Protagoras. Sämtliche Werke I. Ion. Protagoras. Apologie. Kriton. Laches. Lysis. Charmides. Griechisch und deutsch. it 1401

– Euthyphron. Gorgias. Sämtliche Werke II. Euthyphron. Alkibiades I. Gorgias. Menexenos. Griechisch und deutsch. it 1402

– Menon. Kratylos. Sämtliche Werke III. Menon. Kratylos. Euthydemos. Hippias maior. Griechisch und deutsch. it 1403

– Symposion. Phaidon. Sämtliche Werke IV. Hippias minor. Symposion. Phaidon. Griechisch und deutsch. it 1404

– Politeia. Sämtliche Werke V. Politeia. Griechisch und deutsch. it 1405

– Theaitetos. Phaidros. Sämtliche Werke VI. Phaidros. Theaitetos. Griechisch und deutsch. it 1406

– Sophistes. Politikos. Sämtliche Werke VII. Parmenides. Sophistes. Politikos. Griechisch und deutsch. it 1407

– Timaios. Kritias. Sämtliche Werke VIII. Philebos. Timaios. Kritias. Griechisch und deutsch. it 1408

– Nomoi. Sämtliche Werke IX. Nomoi. Griechisch und deutsch. it 1409

– Briefe. Sämtliche Werke X. Briefe. Unechtes. Griechisch und deutsch. it 1410

– Das Trinkgelage oder Über den Eros. Übertragung, Nachwort und Erläuterungen von Ute Schmidt-Berger. Mit einer Wirkungsgeschichte von Jochen Schmidt und griechischen Vasenbildern. it 681

167/3/12.96

Philosophie
im insel taschenbuch

Jean-Jacques Rousseau: Bekenntnisse. Aus dem Französischen von Ernst Hardt. Mit einer Einführung von Werner Krauss. it 823

Arthur Schopenhauer: Aphorismen zur Lebensweisheit. Vollständige Ausgabe mit Erläuterungen und Übersetzung der fremdsprachigen Zitate. Mit einem Nachwort von Hermann von Braunbehrens. Mit 16 Daguerreotypien und Fotos und Bilderläuterungen von Arthur Hübscher. it 223

– Die Kunst, Recht zu behalten. Herausgegeben und mit einem Nachwort versehen von Franco Volpi. it 1658

– Die Welt als Wille und Vorstellung. Textkritisch bearbeitet und herausgegeben von Wolfgang Freiherr von Löhneysen. Zwei Bände. it 1873

Arthur Schopenhauer. Leben und Werk in Texten und Bildern. Herausgegeben von Angelika Hübscher. it 1059

Seneca für Manager. Sentenzen. Ausgewählt und übersetzt von Gerhard Schoeck. it 1656

Seneca: Vom glücklichen Leben. Philosophische Schriften und Briefe. Herausgegeben und aus dem Lateinischen übertragen von Heinz Berthold. it 1457

– Von der Seelenruhe. Philosophische Schriften und Briefe. Herausgegeben und aus dem Lateinischen übertragen von Heinz Berthold. it 743

Voltaire: Candide oder der Optimismus. Mit Zeichnungen von Paul Klee. it 11

167/4/12.96

Die Antike
im insel taschenbuch

Apuleius: Der goldene Esel. Mit Illustrationen von Max Klinger zu ›Amor und Psyche‹. Aus dem Lateinischen von August Rode. Mit einem Nachwort von Wilhelm Haupt. it 146

Augustinus: Bekenntnisse. Lateinisch und deutsch. Eingeleitet, übersetzt und erläutert von Joseph Bernhart. Mit einem Vorwort von Ernst Ludwig Grasmück. it 1002

Boethius: Trost der Philosophie. Zweisprachige Ausgabe. Lateinisch und deutsch. Mit einem Nachwort von Ernst Ludwig Grasmück. it 1215

Roberto Calasso: Die Hochzeit von Kadmos und Harmonia. Aus dem Italienischen von Moshe Kahn. it 1476

Catull: Sämtliche Gedichte. Lateinisch und deutsch. Aus dem Lateinischen von Carl Fischer. Mit einem Nachwort von Bernhard Kytzler. it 1736

Epiktet: Wege zum glücklichen Handeln. Aus dem Lateinischen von Wilhelm Capelle. Mit einem Nachwort von Manfred Fuhrmann. it 1458 und Großdruck. it 2359

Epikur: Philosophie der Freude. Briefe, Hauptlehrsätze, Spruchsammlung, Fragmente. Übertragen und mit einem Nachwort versehen von Paul M. Laskowsky. it 1057

Führer durch das klassische Griechenland. Die antiken Texte zur Kunst und zu den Landschaften Griechenlands. Herausgegeben von Hubert Ortkemper. Mit zahlreichen Abbildungen. it 1930

Götter, Spötter und Verrückte. Antike Anekdoten. Herausgegeben von Gerhard Fink. it 1720

Hippokrates: Der Eid des Arztes. Vom Gelöbnis, Leben zu erhalten. Griechisch und deutsch. Neu übersetzt und herausgegeben von Kurt Steinmann. it 1882

Homer: Ilias. Neue Übertragung von Wolfgang Schadewaldt. Mit antiken Vasenbildern. it 153

Ilias. Odyssee. In der Übertragung von Johann Heinrich Voß. it 1204

Horaz: Oden. Lateinisch und deutsch. Neu übertragen von Winfried Tilmann. it 1418

Frauen der Antike. Lexikon antiker Frauen von Aspasia bis Zenobia. it 1898

Bernhard Kytzler / Joachim Latacz / Klaus Sallmann: Lexikon der antiken Autoren. Literarische Porträts von Homer bis Boethius. it 1856

Longus: Daphnis und Chloë. Ein antiker Liebesroman. Aus dem Griechischen übersetzt und mit einem Nachwort von Arno Mauersberger. Mit Illustrationen der »Edition du Régent«. it 136

174/1/12.96

Die Antike
im insel taschenbuch

Marc Aurel: Selbstbetrachtungen. Aus dem Lateinischen von Otto Kiefer. Mit einem Vorwort von Klaus Sallmann. it 1374

Hubert Ortkemper: Olympische Legenden. Geschichten aus dem antiken Olympia. Farbig illustriert von Rolf Köhler. it 1828

Ovid: Liebeskunst. Nach der Übersetzung von W. Hertzberg. Bearbeitet von Franz Burger-München. Mit Abbildungen nach etruskischen Wandmalereien. it 164

– Metamorphosen. In der Übertragung von Johann Heinrich Voß. Mit den Radierungen von Pablo Picasso und einem Nachwort von Bernhard Kytzler. it 1237

Platon: Apologie. Protagoras. Sämtliche Werke I. Ion. Protagoras. Apologie. Kriton. Laches. Lysis. Charmides. Griechisch und deutsch. it 1401

– Euthyphron. Gorgias. Sämtliche Werke II. Euthyphron. Alkibiades I. Gorgias. Menexenos. Griechisch und deutsch. it 1402

– Menon. Kratylos. Sämtliche Werke III. Menon. Kratylos. Euthydemos. Hippias maior. Griechisch und deutsch. it 1403

– Symposion. Phaidon. Sämtliche Werke IV. Hippias minor. Symposion. Phaidon. Griechisch und deutsch. it 1404

– Politeia. Sämtliche Werke V. Politeia. Griechisch und deutsch. it 1405

– Theaitetos. Phaidros. Sämtliche Werke VI. Phaidros. Theaitetos. Griechisch und deutsch. it 1406

– Sophistes. Politikos. Sämtliche Werke VII. Parmenides. Sophistes. Politikos. Griechisch und deutsch. it 1407

– Timaios. Kritias. Sämtliche Werke VIII. Philebos. Timaios. Kritias. Griechisch und deutsch. it 1408

– Nomoi. Sämtliche Werke IX. Nomoi. Griechisch und deutsch. it 1409

– Briefe. Sämtliche Werke X. Briefe. Unechtes. Griechisch und deutsch. it 1410

– Das Trinkgelage oder Über den Eros. Übertragung, Nachwort und Erläuterungen von Ute Schmidt-Berger. Mit einer Wirkungsgeschichte von Jochen Schmidt und griechischen Vasenbildern. it 681

Sappho: Strophen und Verse. Übersetzt und herausgegeben von Joachim Schickel. it 309

Gustav Schwab: Sagen des klassischen Altertums. 3 Bde. Mit sechsundneunzig Zeichnungen von John Flaxman und einem Nachwort von Manfred Lemmer. it 127

Seneca für Manager. Sentenzen. Ausgewählt und übersetzt von Gerhard Schoeck. it 1656

174/2/12.96

Die Antike
im insel taschenbuch

Seneca: Vom glücklichen Leben. Philosophische Schriften und Briefe. Herausgegeben und aus dem Lateinischen übertragen von Heinz Berthold. it 1457

– Von der Seelenruhe. Philosophische Schriften und Briefe. Herausgegeben und aus dem Lateinischen übertragen von Heinz Berthold. it 743

Sophokles: Aias. Übertragen von Wolfgang Schadewaldt. Herausgegeben von Hellmut Flashar. Mit zahlreichen Abbildungen. it 1562

– Antigone. Übertragen und herausgegeben von Wolfgang Schadewaldt. Mit einem Nachwort, einem Aufsatz, Wirkungsgeschichte und Literaturhinweisen. it 70

– Antigone. Übersetzt von Hölderlin. Bearbeitet von Martin Walser und Edgar Selge. it 1248

– Elektra. Übertragen von Wolfgang Schadewaldt. Herausgegeben von Hellmut Flashar. Mit zahlreichen Abbildungen. it 1616

– König Ödipus. Übertragen und herausgegeben von Wolfgang Schadewaldt. Mit einem Nachwort, drei Aufsätzen, Wirkungsgeschichte und Literaturnachweisen. it 15

– Ödipus auf Kolonos. Übertragen von Wolfgang Schadewaldt. Herausgegeben von Hellmut Fischer. Mit zahlreichen Abbildungen. it 1782

Tacitus: Germania. Zweisprachig. Übertragen und erläutert von Arno Mauersberger. it 471

174/3/12.96

Kulturgeschichte
im insel taschenbuch

Ernst Batta: Römische Paläste und Villen. Annäherung an eine Stadt. Mit zahlreichen Abbildungen. it 1324

Jean Anthèlme Brillat-Savarin: Physiologie des Geschmacks oder Betrachtungen über das höhere Tafelvergnügen. Ausgewählt, übersetzt und eingeleitet von Emil Ludwig. Mit Holzschnitten der Ausgabe von 1864. it 423

Das Duell. Der tödliche Kampf um die Ehre. Herausgegeben von Uwe Schultz. it 1739

Die Familie. Eine Kulturgeschichte der Familie. Herausgegeben von Ingeborg Weber-Kellermann. Mit zahlreichen Abbildungen. it 1839

Die großen Seuchen. Von Pest bis Aids. Von Kari Köster-Lösche. it 1681

Victor Hehn: Olive, Wein und Feige. Kulturhistorische Skizzen. Herausgegeben von Klaus von See unter Mitwirkung von Gabriele Seidel-Leimbach. Mit farbigen Abbildungen. it 1427

Christoph Wilhelm Hufeland: Die Kunst, das menschliche Leben zu verlängern. it 1706

Wolfgang Kaempfer: Zeit des Menschen. Das Doppelspiel der Zeit im Spektrum der menschlichen Erfahrung. it 1855

Adolph Freiherr von Knigge: Über den Umgang mit Menschen. Herausgegeben von Gert Ueding. Mit Illustrationen von Chodowiecki. it 273

Julius Marusz: Porzellan. Betrachtungen aus der Geschichte der ältesten Manufakturen Europas. Mit zahlreichen Abbildungen. it 1760

Günther Ohloff: Irdische Düfte - himmlische Lust. Eine Kulturgeschichte der Düfte. Mit farbigen Abbildungen. it 1777

Pantoffelhelden und Stiefelknechte. Über poetisches Schuhwerk. Herausgegeben von Franz Josef Görtz. Mit zahlreichen Abbildungen. it 1699

Salzburg. Ein Städte-Lesebuch. Herausgegeben von Adolf Haslinger. Mit zahlreichen Abbildungen. it 1326

Michael Schroeder: Kleine Wappenkunst. Mit farbigen Abbildungen. it 1281

Was wir gespielt haben. Erinnerungen an die Kinderzeit. Herausgegeben von Ingeborg Weber-Kellermann und Regine Falkenberg. Mit zahlreichen Abbildungen. it 1371

Wege ins Eis. Nord- und Südpolfahrten. Literarische Entdeckungen von Friedhelm Marx. it 1683

Wiener Adressen. Ein kulturhistorischer Wegweiser von Dietmar Grieser. it 1203

Das Wiener Kaffeehaus. Herausgegeben von Kurt J. Heering. Mit zahlreichen Abbildungen. it 1318

166/1/12.96

Morgenland und östliche Weisheit im insel taschenbuch

Erotische Geschichten aus den Tausendundein Nächten. Aus dem arabischen Urtext der Wortley-Montague-Handschrift übertragen und herausgegeben von Felix Tauer. it 704

Die Erzählungen aus den Tausendundein Nächten. Vollständige deutsche Ausgabe in zwölf Bänden. Zum ersten Mal nach dem arabischen Urtext der Calcuttaer Ausgabe aus dem Jahre 1839. Übertragen von Enno Littmann. it 224

Geschichten der Liebe aus den 1001 Nächten. Aus dem arabischen Urtext übertragen von Enno Littmann. Mit acht farbigen Miniaturen. it 38

Ibn Hazm al Andalusi: Von der Liebe und den Liebenden. Aus dem arabischen Urtext übertragen von Max Weißweiler. it 1757

Yoshida Kenkō: Betrachtungen aus der Stille. Das Tsurezuregusa. Aus dem Japanischen übertragen, erläutert und mit einem Nachwort versehen von Oscar Benl. Mit zehn Holzschnitten. it 1370

Kin Ping Meh oder Die abenteuerliche Geschichte von Hsi Men und seinen sechs Frauen. 2 Bde. Aus dem Chinesischen übertragen von Franz Kuhn. Mit Illustrationen einer alten Ausgabe. it 253

Lao-Tse: Führung und Kraft aus der Ewigkeit. Das Tao-te-king in der Übertragung aus dem chinesischen Urtext von Erwin Rousselle. it 849

Kakuzo Okakura: Das Buch vom Tee. Aus dem Japanischen übertragen und mit einem Nachwort versehen von Horst Hammitzsch. Mit Fotos aus Japan und einem Essay von Irmtraud Schaarschmidt-Richter. it 412

Die Räuber vom Liang Schan Moor. Ein altchinesischer Roman. Mit sechzig Holzschnitten. Aus dem Chinesischen übertragen von Franz Kuhn. it 191

Annemarie Schimmel: Mystische Dimensionen des Islam. Die Geschichte des Sufismus. Mit zahlreichen Abbildungen. it 1715

Die schönsten Märchen aus 1001 Nacht. Nacherzählt von Günter Eich. Herausgegeben von Karl Karst. it 1740

Tausendundeine Nacht. Neue Erzählungen. Aus dem arabischen Urtext vollständig übertragen und erläutert von Felix Tauer. it 1768

Der Traum der Roten Kammer. Ein Roman aus der frühen Tsing-Zeit. Aus dem Chinesischen von Franz Kuhn. it 1772

Tschuang-Tse: Reden und Gleichnisse des Tschuang-Tse. Ausgewählt und mit einem Nachwort versehen von Martin Buber. Großdruck. it 2317

156/1/12.96